Horas vagas

CIP-BRASIL. CATALOGAÇÃO NA PUBLICAÇÃO
SINDICATO NACIONAL DOS EDITORES DE LIVROS, RJ

E39h
   El-Jaick, Márcio
      Horas vagas / Márcio El-Jaick. - São Paulo : GLS, 2020.
      184 p.

   ISBN 978-85-86755-86-6

   1. Romance brasileiro. I. Título.

20-62649   CDD: 869.3
                                                                CDU: 82-31(81)

Vanessa Mafra Xavier Salgado - Bibliotecária - CRB-7/6644

www.edgls.com.br

Compre em lugar de fotocopiar.
Cada real que você dá por um livro recompensa seus autores
e os convida a produzir mais sobre o tema;
incentiva seus editores a encomendar, traduzir e publicar
outras obras sobre o assunto;
e paga aos livreiros por estocar e levar até você livros
para a sua informação e o seu entretenimento.
Cada real que você dá pela fotocópia não autorizada de um livro
financia o crime
e ajuda a matar a produção intelectual de seu país.

Horas vagas

Márcio El-Jaick

edições GLS

HORAS VAGAS
Copyright © 2020 by Márcio El-Jaick
Direitos desta edição reservados por Summus Editorial

Editora executiva: **Soraia Bini Cury**
Assistente editorial: **Michelle Neris**
Projeto gráfico: **Origem Design**
Diagramação: **Santana**

Edições GLS
Departamento editorial
Rua Itapicuru, 613 – 7º andar
05006-000 – São Paulo – SP
Fone: (11) 3872-3322
Fax: (11) 3872-7476
http://www.edgls.com.br
e-mail: gls@edgls.com.br

Atendimento ao consumidor
Summus Editorial
Fone: (11) 3865-9890

Vendas por atacado
Fone: (11) 3873-8638
Fax: (11) 3872-7476
e-mail: vendas@summus.com.br

Impresso no Brasil

*Para R, amigo-gigante,
inspiração-pontapé deste livro.*

SUMÁRIO

I ¦ **TEATRO** 9

II ¦ **CINEMA** 61

III ¦ **TRILHA** 141

I | TEATRO

PRIMEIRO ATO

ERAM TUDO TREVAS e solidão e louça pra lavar, lágrimas contidas, lágrimas derramadas, ressacas com Cefaliv e dieta controlada, era sempre a dança melancólica do tédio, lâmpadas de 60 W, fm light e limite nas expectativas, limite de crédito, limite de velocidade, sexo insatisfatório, celular sem bateria, creme pra celulite, um martíni, um martírio, furo na meia-calça, remorsos processados, olhos fixos no despenhadeiro, saltos altos desconfortáveis, salada verde e pouco molho, pouco tempo, tempo de sobra, era sempre isso tudo, nada, não era nada disso, riu ela de frente para o espelho do elevador, depois de fitá-lo com sua melhor expressão trágica.

Nem que eu quisesse, pensou buscando no rosto algum sinal de tristeza ou mesmo da idade quando só havia os sintomas do pileque, as pálpebras talvez um pouco baixas, o cabelo ligeiramente bagunçado que ela jogou para trás num gesto havia muitos anos repetido, o gesto que depois de tanto ensaio vira hábito, a sedução estudada que se enraíza. Analisou a imagem atenciosamente, sem o orgulho que sempre desprezou, mas, apesar de si mesma, gostando. Esse vermelho me cai bem, pensou como se chegasse ao resultado de uma conta improvável. Encostou-se na lateral do elevador antigo, uma eternidade até o décimo oitavo, correu o indicador pelo colar de pérolas, inclinando de leve a cabeça como se quem trançasse o dedo em seu colo não fosse ela própria, arriscou mais uma vez aquela expressão trágica, sem efeito, consumida pelo que funcionava: a cor das unhas, a bolsa da qual só faltava pagar a última parcela, o cabelo vermelho cuja raiz, ela agora notava, já mostrava o castanho. Preciso retocar, decidiu quando a porta se abria.

Avançou segura pelo corredor, equilibrando-se sem esforço nos escarpins domesticados, às vezes apoiando-se na parede à guisa de charme ou quem sabe ainda na busca inútil de tragicidade, de primeira enfiou a chave no buraco da fechadura e abriu a porta do apartamento com algum cuidado, a hora avançada, fim de domingo, na verdade nem isso, o domingo já morto, mas havia luz na sala, o brilho da televisão.

— Sérgio — chamou num murmúrio, sem querer acordá-lo caso ele estivesse dormindo.

— Oi, minha florzinha de lótus — respondeu ele, quase a assustando, sentado no chão, junto à parede, de frente para a televisão, mas longe dela.

O som que tomava conta da sala, Joyce agora percebia, não vinha da televisão, mas da caixa do iPod, algum tipo de hip-hop. Ela fez uma careta.

— O que houve com Chet Baker?

— Aposentado.

Sérgio ergueu a garrafa de vinho que se achava a seu lado, junto à taça.

— Vai?

— Obrigada, amor — respondeu ela, largando-se no sofá. — Já bebi mais do que merecia.

Joyce voltou os olhos para a televisão sem som, um programa de competição de culinária.

— É o que sobrou pra hoje? — Encarou Sérgio, que mantinha os olhos fixos na tela. — Ou você está precisando abrir o apetite?

— O controle ficou longe — justificou-se ele, apontando vagamente para o controle remoto, sobre a mesinha de centro.

O limite da indolência.

Ela continuava o encarando.

— Você não saiu?

— Não. — Sérgio tomou um gole do vinho e despregou os olhos da tela, pela primeira vez parecendo notar a presença de Joyce. — E você, como foi a noite?

Ela pegou a carteira de cigarros e procurou ali o pequeno baseado que fumara pela metade mais cedo. Acendeu-o olhando para ele.

— Conheci o homem da minha vida.

— De novo?

Ela abriu um sorriso, soltou a fumaça e ergueu o indicador.

— Essa música realmente não é ruim. — Estendeu o baseado para Sérgio e tirou primeiro o colar de pérolas, que deixou sobre a mesinha, depois a calça *jeans* apertada, que deixou no braço do sofá. — Ele é lindo e fala alemão.

Sérgio aspirou a fumaça e voltou os olhos para a tv, os competidores se debruçando sobre suas invenções, em busca de aprovação e um prêmio em dinheiro. Soltou a fumaça.

— O sexo foi incrível?

Joyce pôs a mão sobre o peito, um gesto simulado de afronta. Sorriu ao se recostar novamente no sofá.

— O sexo foi incrível. E antes teve um flerte delícia, uma conversa delícia. Ele fala alemão! Quase desenferrujei o meu.

Sérgio tragou novamente e logo aproveitava os primeiros minutos do efeito da maconha, os melhores, quando o corpo fica leve e a mente ainda não domina, quando tudo se resume a um movimento leve em direção à superfície. Fechou os olhos, deixando que a música fosse o único laço com o mundo exterior. *Seems like street lights glowin, happen to be just like moments passin.* Era bom deixar de ter um corpo, deixar de ter consciência, ser apenas algo que flutua, sem peso. Os primeiros cinco minutos.

Quando abriu os olhos, Joyce o fitava.

Ela havia tirado também a blusa e parecia ter saído de uma publicidade de lingerie para mulheres que não desejam apenas ser objeto de desejo, uma publicidade de lingerie que não existe. Pernas abertas, olhar carregado de afeto, meio mãe, meio moleque. Aceitou o baseado que ele devolvia. Sorriu.

Ele sorriu para acompanhá-la. Ainda sem peso, só algo que oscila no ritmo da música. *I'm just not there in the streets, I'm just not there.* Os primeiros minutos, depois dos quais era uma incógnita.

— Você fica bem de sutiã vermelho.

— É porque você ainda não me viu sem.

Ela riu.

Ele riu para acompanhá-la.

— Não é verdade.

— Não, não é verdade. Pouquíssima coisa é verdade. — Ela deixou o baseado na borda do cinzeiro verde. — Graças a Deus.

Ele passou a mão na cabeça, ficou alisando o cabelo curto em círculos irregulares.

— Mas é verdade que você fica bem sem sutiã vermelho. — Ele piscou para ela. — O moço elogiou?

— Só viu com as mãos. Umas mãos lindas. Transamos no escuro, nem sei por quê.

Os dois se voltaram para a tela da televisão, onde um dos concorrentes estava prestes a se tornar o vencedor do desafio daquele dia e outro estava prestes a ser eliminado. Um pouco de comemoração, um pouco de choro, depois publicidade, depois um programa onde tatuadores buscavam aprovação e um prêmio em dinheiro. Sérgio ainda alisava o cabelo curto em círculos irregulares, mas era como se a sensação estivesse gasta e ele apenas procurasse por ela. Então um pensamento ruim se insinuou em sua mente, e ele sentiu o alarme: passados os primeiros cinco minutos, não era nunca a incógnita que ele fingia esperar. Passados os primeiros cinco minutos, era a pedreira, uma luta contra os outros minutos, a eternidade do depois, o debater de pensamentos ruins se atropelando, era o espelho que o denunciava.

Sérgio despregou os olhos da televisão e fitou a ponta do baseado no cinzeiro verde, sobre a mesinha de centro, onde Joyce tamborilava os dedos. Olhou para ela, a possível salvação, o outro que podia arrancá-lo de si mesmo.

— Me diz que a vida é possível?

— É possível. Mas pouco provável.

Ela riu, porque não acreditava nisso.

Ele não a acompanhou.

Ela o encarou, meio mãe, meio moleque.

— Você está precisando trepar.

— Eu trepei.

— Quando? — perguntou Joyce.

— Agora à noite.

Ela se dirigiu à caixinha do iPod, interrompeu o hip-hop. Botou para tocar jazz, que pareceu encher a sala devagar, como água subindo num reservatório, centímetro a centímetro.

— Ele falava alemão?

— Com dificuldade, o português.

Joyce se acomodou novamente no sofá. Acendeu um cigarro.

— A conversa não rolou?

— A conversa foi ótima. Quando perguntei "você gosta dos irmãos Coen?", ele perguntou "irmãos o quê?" Achei que corria o risco de me apaixonar.

Joyce o encarou.

— Você está mentindo.

Sérgio tomou o que restava do vinho.

— Estou.

Ela puxou os joelhos contra o peito, parecia uma menina de cinco anos, animada.

— Você gostou!

Sérgio não respondeu.

Pensou no rapaz, na chegada um pouco constrangida do rapaz, as mãos que pareciam lhe sobrar, com as quais ele não sabia o que fazer, o olhar que não se prendia em Sérgio, que o buscava e o abandonava com a mesma velocidade, a insegurança que ele não havia revelado durante a conversa insolitamente longa e abrangente, primeiro pelo Aplicativo, depois pelo WhatsApp, uma conversa que de algum modo incluiu séries televisivas, teatro experimental e posições políticas, em vez de posições sexuais, as perguntas de Sérgio respondidas de pronto, as respostas do rapaz surpreendendo fosse pelo humor fosse pela sinceridade.

Sérgio lhe ofereceu água, ele aceitou. Sérgio acompanhou o copo d'água com um beijo que ele retribuiu devagar. Sérgio desabotoou a camisa dele, abriu a calça dele, puxou-o para o sofá, passou a mão no corpo dele, o corpo bem-feito dele, o corpo que não parecia pronto para aquilo, que não respondia ou respondia a seu modo, quase crispado. Como um cego, Sérgio tocou o corpo contraído, a pele arrepiada dele.

Joyce o fitava.

— Não é incrível que nós dois tenhamos conhecido caras bacanas no mesmo dia?

— A vida real consegue fazer coisas bastante inverossímeis.

Ela se levantou e novamente dirigiu-se à caixinha do iPod. Aumentou o som e arriscou uns passos de dança pelo tapete, o brilho oscilante da televisão ora vestindo ora despindo o corpo seminu.

— Essa música me dá vontade de ser etérea.

Sérgio correu o dedo pela borda da taça vazia, o pensamento no rapaz, o momento em que tocava o corpo contraído dele, a pele arrepiada dele, Sérgio avançando como um cego, as mãos urgentes, quase debruçado sobre ele no sofá, alheio à sua falta de resposta até o momento em que já não era possível continuar alheio: a pele arrepiada de frio ou medo, a imobilidade continuada.

Sérgio perguntou: Está tudo bem?

Ele pediu: Podemos ir com calma?

Sérgio congelou.

Primeiro o corpo, depois a mente, que pareceu se esvaziar de todo antes de formar um único pensamento que se cristalizou rápido tomando conta dela, o pensamento que era um medo: que a calma solicitada pelo rapaz destruísse a libido, que a conversa estragasse a trepada.

O rapaz tomou a imobilidade de Sérgio por anuência, abriu um sorriso ainda incerto que era a materialização de um suspiro aliviado, como se pudesse afinal respirar depois do investimento de Sérgio, a camisa desabotoada, a calça aberta, o cabelo em desalinho, um sorriso que era o reconhecimento da trégua. Ajeitou-se no sofá e encarou Sérgio um pouco como se pedisse desculpa, um pouco como se tivesse ganho um argumento.

No silêncio, Sérgio não notou que o aparelho de som se mantinha mudo. Estudou o cabelo castanho do rapaz, os olhos castanhos do rapaz, a pele muito branca, os poucos pelos do peito que ele agora escondia abotoando a camisa com seu sorriso de trégua, estudou os antebraços bem-feitos, as mãos bem-feitas, estudou as pernas entreabertas que por ora guardavam a promessa de ser bem-feitas, mas em sua mente havia apenas o medo cristalizado da trepada perdida, o medo de que qualquer informação nova sobre aquele rapaz pudesse ser excessiva, de que o momento se perdesse para sempre.

— Meu sonho era ser uma mulher vivida — dizia Joyce agora, diante do espelho.

Sérgio a encarou, mas era como se a olhasse de muito longe.

— Sei.

Ela continuou fitando seu reflexo. Jogou o cabelo para trás no gesto que virara hábito.

— Não vivi grande coisa, mas a bebida e as drogas me deram pelo menos isso: a aparência de quem viveu.

Sérgio sacudiu a cabeça.

— Não é verdade.

— Claro que não. Nem isso me deram. As ingratas. — Ela se jogou novamente no sofá, abandonada de pose. — Amanda diz que sou alcoólatra, mas não sou alcoólatra. Tenho um problema com álcool.

Ela riu, ele a acompanhou.

— Você bebe socialmente.

— Bebo funcionalmente.

— E parou com as drogas pesadas faz anos.

— Séculos. Ai, que saudade do N.A.

Sérgio desviou os olhos.

— Você não precisava do N.A.

— Mas tinha homens maravilhosos. Grandes perdedores, uns fracassados incríveis. — Ela se deteve, pareceu refletir estudando as unhas da mão direita. — Eles eram como eu, mas com aquela fragilidade mais difícil dos homens, a fragilidade de quem, pra trepar, depende de uma ereção. — Deteve-se novamente, as unhas da mão direita ainda sob avaliação. — E como não amar os homens com essa fragilidade? Ainda mais eu, que nasci com vocação para Madre Teresa.

Sérgio estendeu o braço na direção dela, sem alcançá-la.

— E o de hoje falava alemão.

Ela se iluminou.

— Sim! E era lindo — disse ela, agora aparentemente hipnotizada pelas unhas, analisando-as como se fossem uma novidade. — Tinha costeletas maravilhosas. E 47 anos muitíssimos bem vividos. Mas o que eu mais gostei...

Joyce se deteve novamente, os olhos vidrados nas unhas, absorta pela novidade invisível. Alguns segundos se passaram, arrastados, segundos durante os quais Sérgio deu por perdida a continuação da frase, mas logo ela piscava os olhos e sacudia a cabeça, como se saísse de um transe. Endireitou-se no sofá e prosseguiu:

— O que eu mais gostei foi da aliança.

Ela riu, ele a acompanhou.

Ela se virou para ele.

— O seu moço tinha quantos anos?

— Um pouco menos. De trinta.

— Um jovem.

— Vinte anos exatos a menos do que eu.

— Ai, 24 é tão pouco. É um problema.

Sérgio encolheu os ombros.

— É sempre um problema.

Ela voltou os olhos para a televisão, onde um dos tatuadores concorrentes estava prestes a ser decretado o vencedor do desafio daquele dia e outro estava prestes a ser eliminado. Sérgio acompanhou o olhar dela, e ambos ficaram assistindo: um pouco de comemoração, um pouco de choro. A tatuadora eliminada disse que aquele não era seu fim, era apenas o começo. Como se aguardasse sua deixa, Joyce se virou para ele.

— O problema das pessoas de vinte anos é que elas querem tudo. O problema das pessoas de quarenta é que já desistiram.

Ele não respondeu, apenas a encarou com uma seriedade que ela achou melhor evitar.

— Não fica assim, meu lindo. Até Jesus disse "Vinde a mim as criancinhas".

Ele sorriu, ela o acompanhou.

Ele pensou no rapaz, o momento que se seguiu ao medo de súbito cristalizado da trepada perdida, quando os dois engataram afinal uma conversa, no começo como se tateassem, depois com uma facilidade que fez Sérgio, senão esquecer o medo da trepada perdida, pelo menos conferir a esse medo uma importância menor, a própria trepada talvez perdida um problema pequeno, a conversa se desenrolando surpreendentemente com algo próximo ao prazer enquanto Sérgio observava os braços bem-feitos do rapaz, as pernas com a promessa de ser bem-feitas do rapaz.

Ele olhou para Joyce.

— Os jovens têm a pele, né? A pele dos jovens.

— A melhor coisa que os jovens têm é o futuro.

Sérgio pensou no momento em que, conversa já engatada e desenrolando-se com algo próximo ao prazer, ele se prendeu nos olhos castanhos do rapaz e parou de ouvi-lo, porque em sua mente só havia a surpresa do reconhecimento de sua própria postura no começo da noite, a fome com que havia recebido o rapaz, desabotoando-lhe a camisa, abrindo-lhe a calça, puxando-o para o sofá, o gesto mecânico, a água acompanhada de um beijo, a camisa desabotoada, a calça aberta, o deslocamento para o sofá, a mão em seu corpo, a cabeça concentrada em continuar, como se seguisse uma flecha ou como se fosse ela própria a flecha, porque a flecha não questiona o trajeto, apenas avança segundo a imposição do arco.

Olhou para Joyce, que assistia atentamente a um comercial.

— Você ainda se surpreende consigo mesma?

— Nunca — respondeu ela, os olhos grudados na tela. — Já me acostumei com minha imprevisibilidade.

O comercial chegou ao fim. Joyce voltou os olhos para Sérgio.

— Mas me fala da pele do seu jovem.

Ele riu, ela o acompanhou.

Ele revirou os olhos, não com indiferença, mas como subterfúgio para buscar na memória a recordação da pele do rapaz.

— Ah, tem o viço, né? — Ele se deteve, como se saboreando a lembrança. — E ele era lisinho.

— Isso é bom?

— Pode ser ótimo.

Ela sacudiu a cabeça.

— Eu gosto de pelo.

— Pelo pode ser ótimo.

— Eu gosto de homem — insistiu ela.

— Nessa estamos juntos.

— E às vezes de mulher.

— Nessa, não.

Ela riu, ele a acompanhou.

Ela se levantou e avançou na direção do espelho, mas, como se de repente mudasse de ideia, parou diante do aquário e ficou observando os peixes, a areia colorida, o escafandrista soltando bolhas, ficou observando o movimento dos peixes sob a iluminação high-tech do aquário, os olhos vidrados em seu deslocamento pela água, vidrados como minutos antes haviam estado diante das unhas.

— Não dizem que a memória deles dura quinze segundos?

— Está se identificando?

Ela se virou para ele, fulminando-o com os olhos. Abriu um sorriso.

— As drogas, ingratas. — Virou-se novamente para o aquário, os olhos mais uma vez presos ao movimento dos peixes. — Mas acho uma vantagem ter pouca memória: estou sempre me admirando com as mesmas notícias.

— Admirar-se pode ser ótimo.

— Uma voltinha no aquário e "Meu Deus, um escafandrista soltando bolhas!"

Ele riu, ela o acompanhou.

Ela acendeu a luz mais próxima e se dirigiu afinal ao espelho, diante do qual se postou simulando surpresa.

— Meu Deus, uma mulher seminua sem um homem que a abrace!

Sérgio não riu.

Pensava mais uma vez no rapaz, nos olhos castanhos do rapaz, aos quais havia se prendido deixando de ouvi-lo quando reconheceu sua própria postura no começo da noite, sua busca cega de muitos tentáculos que apreciava mas não apreciava o corpo bem--feito dele, que era apenas a execução de seu trajeto de flecha, atento e indiferente ao rapaz que era um rapaz qualquer, que podia ser qualquer rapaz, o rapaz que era apenas uma circunstância para sua direção cênica, a água acompanhada de um beijo, camisa desabotoada, calça aberta, deslocamento para o sofá, a dança de passinhos marcados, o piloto automático.

Sérgio pensou no momento em que reconheceu ter um modus operandi. Muito claramente, sempre preso aos olhos castanhos do rapaz, que falava sem ser ouvido, ele pensou: Eu tenho um modus operandi.

Depois pensou: Foda-se.

E riu sozinho, sem ter quem o acompanhasse.

Mas riu por dentro, sem deixar transparecer a matemática mental que se efetuava enquanto ouvia sem ouvir, preso aos olhos castanhos do rapaz. E, porque depois do "Foda-se" tudo é zerado, voltou afinal a ouvi-lo, como se o monólogo mudo do rapaz fosse aos poucos ganhando materialidade, primeiro as palavras abrindo espaço, sem contexto, depois o contexto subindo à tona, a ponto de ele poder restaurar o diálogo e contribuir e gostar do que ouvia.

Sérgio pensou naquela conversa inusitada que de algum modo se enveredara para o cinema, o momento em que citou os irmãos Coen, de quem nem gostava especialmente, e o rapaz soube fazer um comentário oportuno, pensou no momento em que citou Tarantino, de quem gostava especialmente, e o rapaz soube fazer um comentário oportuno, pensou nas citações do próprio rapaz, que haviam sido muitas, uma conversa recheada de referências pop, mas também uma conversa que incluiu a vida rasteira de cada um, pequenos prazeres como dirigir "quando não tem trânsito", e pequenos desprazeres como os gestos repetidos, pequenas confissões sobre o que era desimportante e aproximações tangenciais ao que não era, um pouco de presente, um pouco de passado, o último relacionamento do rapaz, um casamento de dois anos que havia acabado fazia alguns meses (daí talvez aquele descabido "Podemos ir com calma"?), e o olhar seguro dele quando falou sobre o dégradé desses dois anos:

— O que ferrou a gente foi o que ferra todo mundo.

Sérgio se lembrou do momento em que, preso aos olhos castanhos do rapaz e ouvindo atentamente o que ele dizia, percebeu que gostava. O momento em que se deu conta de que ouvir todas aquelas novas informações sobre o rapaz não havia eliminado seu desejo e que em algum nível ele continuava excitado. O momento em que se deu conta de que estava aceso, de que a voltagem era alta e de que podia se queimar.

— Preciso retocar o cabelo — disse Joyce, ainda postada diante do espelho.

Sérgio se virou para ela.

— Estou precisando cortar.

— Vamos juntos, meu salão é incrível! — animou-se ela.

— Sou fiel ao Antônio.

— Você não é fiel nem a si mesmo.

— Verdades a essa hora da madrugada?

Ela riu, ele a acompanhou.

— Mas você nem gosta desse cabeleireiro horroroso — insistiu Joyce. — Sempre chega em casa precisando terminar o serviço.

— Ele não é cabeleireiro, é barbeiro — disse Sérgio, como quem admite uma falha. — Mas ele não puxa assunto. Tem preço isso?

Joyce não respondeu, limitando-se a examinar mais de perto a raiz dos cabelos, depois se afastou novamente do espelho, novamente parando de frente para o aquário, o escafandrista soltando bolhas, o deslocamento dos peixes pela água.

— Não sei se gosto de ficar olhando para eles.

— Então para de olhar.

Ela parecia falar consigo própria:

— Talvez eu goste. Mas, se eu gostar, é algo um pouco masoquista.

Sérgio a estudou, parada ali com assombro, mais uma vez observando de olhos vidrados o movimento dos peixes sob a iluminação high-tech do aquário, sob a iluminação high-tech do apartamento. Sentiu uma espécie de ternura por ela, o abandono da postura, o espanto diante daquilo. Desejou estabelecer uma ponte qualquer que a resgatasse daquele lugar de desconforto, uma ponte salva-vidas. Sem convicção, perguntou:

— Como se calcularia isso de que a memória deles dura quinze segundos?

Ela mantinha os olhos vidrados no aquário, mantinha o estado de atordoamento que parecia deixar tudo o mais em suspenso, o estado de atordoamento em que só cabia o deslocamento dos peixes pela água.

— É verdade — assentiu, afinal. — Só pode ser lenda. Assim como boitatá. E mulher estritamente heterossexual.

Ela se virou para ele.

Ele riu, ela o acompanhou.

Sentou-se novamente no sofá e acendeu a pontinha do baseado que estava no cinzeiro verde, os olhos voltando-se mais uma vez para a televisão, onde uma atriz americana muito jovem explicava que escolhia suas roupas pelo conforto. Tragou a fumaça, prendeu-a com a fisionomia de quem reflete sobre algo muito importante, pegou o controle remoto e mudou de canal.

Sérgio pensou no rapaz, no momento em que a conversa pareceu naturalmente abrir um hiato durante o qual eles se olharam com o reconhecimento do desejo, e houve um beijo que levou naturalmente à camisa mais uma vez desabotoada e à calça mais uma vez aberta, o que por um instante fez Sérgio pensar se estaria agindo segundo seu modus operandi, mas com a mesma rapidez que se permitiu imaginar isso tratou de abandonar o pensamento, preferindo adiá-lo ou esquecê-lo, dedicando sua atenção exclusivamente ao que acontecia agora que a camisa estava desabotoada e a calça estava aberta.

Sérgio pensou no corpo bem-feito do rapaz, no cheiro de sabonete da pele do rapaz, pensou no longo tempo que eles passaram apenas se beijando depois da camisa desabotoada e da calça aberta, algo que divergia de seu modus operandi, porque depois de um breve intervalo no sofá vinha a cama, o sofá apenas uma escala antes do destino final. Mas, naquele instante, Sérgio também não pensou nisso, decidido a adiar ou esquecer.

Na cama, era o ritmo do rapaz. Pelo menos no começo. Porque também havia o cheiro de sabonete da pele do rapaz e seu corpo bem-feito, e a certa altura Sérgio se viu incitado a impor seu próprio ritmo, ou talvez o ritmo de seu modus operandi, o que talvez desse no mesmo. E a partir desse instante passou muito claramente a dobrar o ritmo do rapaz, quase egoísta, mas também de algum modo ciente de que não saberia fazer diferente. E foi com certa surpresa que notou que o rapaz gostava.

E foi bom.

Foi bom como costumava ser.

Porque costumava ser bom.

E depois houve aqueles segundos que nunca chegavam a completar um minuto, durante os quais Sérgio apertava rapidamente o braço do parceiro e fitava o teto, geralmente arfante, a respiração mais ou menos difícil, dependendo do tempo transcorrido e do esforço feito, segundos depois dos quais ele propunha um banho, impelindo o parceiro ao boxe, mas não entrando ali ele próprio, usando a desculpa de buscar uma toalha para se manter afastado, geralmente na cozinha, bebendo água, e nesse dia não foi diferente.

Quando Sérgio voltou ao banheiro, com a toalha, o rapaz o fitou do boxe com olhos que aparentemente não traziam nenhuma reprovação, olhos que manifestavam apenas curiosidade. Banho terminado, fechou a torneira e aceitou a toalha com um "Obrigado" que era mais a formação da palavra na boca do que som propriamente dito, um "Obrigado" para surdos. Enxugou-se de leve no boxe e pisou no tapete, abrindo passagem para Sérgio, que até então o observava de sua marcação, junto à pia, e agora passava por ele meio se esquivando, mas esquivando-se com uma ponta de carinho engessado: apertando novamente seu braço.

Sérgio apontou para a pia, indicando o desodorante. E o rapaz sorriu, aceitando. E puxou assunto. Mas não foi nem a continuação do que havia sido — Tarantino, passado, presente — nem o que geralmente se seguia. Foi uma curiosidade:

— Sabe que não gosto de transar debaixo de chuveiro?

E por ser uma curiosidade, por ser inusitado e talvez um limite que o rapaz tinha, Sérgio o fitou com interesse, já debaixo do chuveiro, do outro lado do vidro.

Com interesse, pensou quase arrependido que poderia ter entrado no boxe enquanto o rapaz tomava banho e procurado seu corpo bem-feito, ensaboando-o, beijando-o, estimulando-o a ponto de obrigá-lo a transpor seu limite, ele que sempre gostava de obrigar o outro a transpor seus limites. Mas, se tivesse entrado no boxe e procurado o corpo bem-feito do rapaz, estaria ele próprio transpondo um limite seu, porque depois do sexo ele nunca queria mais sexo. Depois do sexo ele queria que o parceiro tivesse a decência de desaparecer. Que virasse um pavê. Uma samambaia-chorona.

— Por que não? — perguntou, ainda fitando o rapaz do outro lado do vidro. — Por que você não gosta de transar debaixo do chuveiro?

O rapaz pegou o desodorante sobre a pia e passou-o displicente, com uma sensualidade espontânea que, talvez por ser tão espontânea, quase fugia à palavra "sensualidade".

— Fico pensando no desperdício de água.

Ele riu, Sérgio o acompanhou.

— Sério?

— Seriíssimo.

Com os gestos repetidos do banho, Sérgio se ensaboava debaixo da água quente, talvez quente demais, a temperatura não apenas relaxando seu corpo mas indo além, mitigando-o. De vez em quando, olhava para o rapaz do outro lado do vidro agora embaçado, observando-o analisar a própria imagem no espelho, observando-o voltar os olhos para o vidro embaçado, dissimuladamente. Ou não: o vidro embaçado não lhe permitindo assegurar — em realidade, não lhe permitindo assegurar nem sequer se o rapaz tinha de fato os olhos voltados para o boxe. Mas, de qualquer forma, Sérgio encolhia a barriga e contraía os músculos, oferecendo seu melhor ângulo.

Com os gestos repetidos do banho, passava xampu na cabeça enquanto pensava naquele comentário que era uma curiosidade: o desconforto com sexo debaixo do chuveiro, por causa do desperdício de água. Pensava se o comentário aparentemente surgido do nada teria advindo de uma dedução do rapaz, depois do tempo artificial que Sérgio levara para buscar a toalha, tempo que sugeria em si um motivo anterior, um motivo por trás. Enquanto volta e meia olhava o rapaz do outro lado do vidro embaçado, sem conseguir exatamente vê-lo e por isso sem saber se o rapaz o olhava, Sérgio pensou que, durante aquele tempo artificial, o rapaz talvez tivesse imaginado que ele, Sérgio, também não gostava de transar debaixo do chuveiro, quem sabe também por causa do desperdício de água, e talvez por isso tivesse feito o comentário, que de outro modo parecia surgido do nada, e pensou que talvez o comentário tivesse sido um recurso empregado pelo rapaz para estabelecer uma ligação com ele: o desconforto com algo, talvez a resistência por uma causa.

— Você gosta de transar no chuveiro? — perguntou Sérgio, quase surpreso com a própria voz, à Joyce, que continuava sentada no sofá, a ponta do baseado agora apagada entre os dedos, olhos grudados na televisão, onde jogadores de rúgbi jogavam rúgbi.

Ela virou a cabeça de leve na direção dele, mantendo os olhos presos na tela, numa tentativa de dividir sua atenção.

— O quê?

Sérgio observou os jogadores, ao mesmo tempo másculos e infantis.

— Você deixaria de transar debaixo do chuveiro por causa do desperdício de água?

Joyce despregou os olhos da tela e o encarou.

— Na hora do meu gozo, quero que o planeta se foda.

Ele riu, ela o acompanhou.

Ela se sentou de frente para ele.

— Por quê? — perguntou, devolvendo a ponta do baseado ao cinzeiro verde. — O seu lisinho de 24 anos é militante por um mundo sustentável?

— Talvez.

Ela jogou o cabelo para trás, o gesto que agora era hábito.

— Ai, os jovens...

— Isso não tem nada a ver com juventude.

— Não.

— E idade é coisa de cabeça.

— Rá!

— Disse a senhora de 92 anos antes do último suspiro.

Ela riu, ele a acompanhou.

Ela se levantou, espreguiçando-se. Avançou mais uma vez na direção do espelho, sob a luz high-tech do apartamento. Avaliou sua imagem, passando os dedos nas maçãs do rosto, esticando-as de leve, num arremedo de massagem.

— Você não vai para a cama?

Ele demorou alguns segundos para responder:

— Está ocupada.

Ela demorou alguns segundos para entender.

Fitou-o com o que podia ser assombro, mas também malícia.

— O seu jovem adormeceu.

— E só desperta com um beijo apaixonado.

— Vai lá, acorda a princesa e bota ela pra correr, que a segunda-feira chegou.

— Como, sem o beijo apaixonado?

Ela o encarou, descansando a mão no quadril.

— Hoje em dia, basta uma sacudidela e as princesas acordam. No susto.

Ele riu, ela o acompanhou.

Ele voltou os olhos para a televisão, onde os jogadores de rúgbi jogavam rúgbi. Ela continuava o encarando, a mão apoiada no quadril.

— Você vai dormir no sofá enquanto a princesa ronca na sua cama? Ou prefere dormir de conchinha comigo?

— Rá! Olha que adoro dormir de conchinha.

— Então abraça a princesa.

— A princesa é uma desconhecida.

Ele a encarou.

Ela revirou os olhos, analisou mais uma vez a imagem no espelho e voltou para perto dele, mas não se sentou.

Sérgio estendeu a mão.

— Eu queria um boneco inflável pra dormir de conchinha.

Ela segurou a mão dele.

— Um boneco inflável conhecido.

— Que sonho!

Ela beijou a mão dele e disse muito séria:

— Vai lá, acorda a princesa e diz que não consegue dormir acompanhado, inventa um trauma de infância. — Como ele se manteve mudo, ela acrescentou: — Não acredito que você vai dormir no sofá por causa do seu excesso de educação.

— Não seria a primeira vez. Nem a segunda.

Ela o fitou com um misto de perplexidade e censura, beijou novamente sua mão e se afastou com um início de bocejo interrompido.

— Se quiser dormir comigo, a cama é nossa — disse, antes de se retirar da sala.

Sérgio fitou o ponto onde ela estava antes de desaparecer no corredor e respondeu num murmúrio:

— Vou ficar bem.

SEGUNDO ATO

— ATÉ QUE ENFIM! — disse Joyce com um suspiro de enfado e reprovação, mas logo tratou de abrir um sorriso para deixar claro que brincava.

A verdade era que não brincava.

Desde que chegara ao apartamento e deparara com a porta fechada do quarto de Sérgio, a espera só fizera aumentar sua angústia.

Ela não havia ligado a televisão nem o aparelho de som. Apenas acendera o mínimo possível de luz e se deitara no sofá, com uma sensação pegajosa de desperdício.

— Perdoa, Babycakes — pediu Sérgio, parado naquele ponto da sala que era o limite do corredor, uma toalha enrolada na cintura. — Já estou vindo.

Joyce o fitou com algum embaraço, enxergando no olhar dele o reconhecimento de seu próprio olhar de enfado e reprovação, o sorriso aberto incapaz de esconder dele o que lhe passava por dentro.

— Rápido senão eu fujo, Sweet Pea — respondeu ela, procurando simular leveza, a brincadeira que não era brincadeira. E, como não soubesse mais o que dizer, resmungou: — Estou pegando essa sua mania de meter o inglês no português.

Ele ajustou a toalha em torno da cintura.

— Não faz isso. É supercafona. You're better than that.

— Too late.

Ele riu, ela o acompanhou.

Ele desapareceu no corredor.

Ela voltou a encarar sua angústia, a sensação pegajosa de desperdício que a acompanhara durante todo o trajeto do metrô e que se iniciara no momento exato em que viu sua nova imagem no espelho do salão, o cabelo vermelho irretocável.

Naquele momento, o cabelo vermelho irretocável parecendo-lhe impossivelmente bonito no espelho do salão, ela havia se lembrado da mensagem de Hans no meio da manhã, aquele convite para um encontro no fim da tarde, e do primeiro impulso de aceitar e de sua verdadeira resposta, alguns minutos depois: a recusa que não tinha nenhuma intenção de mostrar a ele que ela era uma mulher difícil — Joyce sempre seguia fielmente seu desejo, como o cachorro a quem não ocorre largar o dono. A recusa que, portanto, não tinha motivo. Era apenas a resposta certa para aquele dia.

Hipnotizada pelo cabelo vermelho irretocável, lembrou-se da atitude quase simultânea de telefonar para Sérgio propondo um filme para aquela noite, só os dois, em casa, pipoca de micro-ondas e guaraná zero, edredom e incenso de sândalo para assistir a qualquer um dos trinta filmes que ela havia baixado no último mês, ele podia escolher.

Lembrou-se de quanto ficara feliz com a resposta afirmativa dele.

"Sim" é sempre uma alegria.

Mas a porta fechada do quarto de Sérgio significava uma interdição e ela respeitava interdições, embora quase sempre as respeitasse irritada.

Hoje, não.

Hoje era apenas aquela angústia, a sensação pegajosa de desperdício que a acompanhava desde o salão, quando a recusa para o convite de Hans passara a deixá-la cada vez mais aflita, porque houvera prazer no instante em que ela recebeu a mensagem dele e houvera prazer em ler aquele convite para o encontro no restaurante do hotelzinho que ele garantia ser uma delícia. Porque ela gostava de sexo e tinha certeza de que repeti-lo seria bom.

Levantou-se do sofá e se dirigiu à janela, em busca da lua cheia que admirara ao emergir da estação do metrô, mas no retângulo de céu que os prédios da rua lhe permitiam ver não havia nem sinal de que era noite de lua cheia. Não havia sinal de que era noite.

Joyce acendia o incenso de sândalo no canto da sala quando Sérgio surgiu de seu quarto com um rapaz, os dois de cabelo molhado, Sérgio com uma camiseta que usava para ficar em casa, o rapaz com um sorriso constrangido, embora houvesse ali também uma ponta do que poderia ser ousadia, a ousadia de uma afirmação, quem sabe.

Sérgio fez rapidamente as apresentações, enquanto Joyce avaliava aquele rapaz muito jovem para possíveis futuros comentários, observando seu rosto, a voz, a bermuda cáqui e a camiseta divertida, tudo que lhe era possível captar nos breves minutos que duraram a passagem dele pela sala, sob a iluminação mínima que ela havia permitido ao chegar. Com o incenso ainda na mão, observou com o canto dos olhos a despedida breve dos dois junto à porta, a despedida sem beijo ou abraço, apenas um aceno de cabeça e o olhar sugestivo, algumas palavras baixas que ela não ouviu por mais que concentrasse a atenção.

Sérgio fechou a porta e se virou para ela.

Com o cuidado de não ser ouvida no corredor, onde o rapaz aguardava o elevador antigo, ela murmurou:

— Com essa frequência, a princesa corre o risco de se tornar uma princesa conhecida.

Ele riu, ela o acompanhou.

Ele se aproximou dela, mantendo o tom de voz baixo:

— Esse não é a princesa.

— Não é o jovem lisinho?

— É outro jovem lisinho.

Ela o encarou, algum brilho nos olhos.

— Foi bom?

— Foi bom — assentiu ele, pegando o maço de cigarros.

— Ele conhecia os irmãos Coen?

— Não faço ideia — respondeu Sérgio, sentando-se na poltrona, descansando os pés sobre a mesinha de centro.

Ela o acompanhou, sentando-se no sofá. Tirou um cigarro do maço que Sérgio lhe oferecia. Acendeu-o, tragando a fumaça com os olhos ligeiramente contraídos.

— E ainda fiquei observando o moço cheia de atenção, pensando que fosse a princesa, os detalhes, o senso de humor da camiseta.

— A camiseta tinha senso de humor?

— Era uma camiseta do Pac Man.

— Não percebi — disse Sérgio, apontando o controle remoto para a televisão, então mudando de canal por longos minutos, mudando cada vez mais rápido, até parar de súbito.

Deixou o controle remoto no braço da poltrona e voltou os olhos para a tela com alguma curiosidade, como se, depois de ter desistido de escolher entre muitas alternativas que não o interessavam, desafiasse a sorte a escolher em seu lugar.

Joyce o observava, cigarro preso entre o indicador e o médio.

— Esse também deixa de trepar no chuveiro por causa do desperdício de água?

— Desse não sei nem isso. Só sei que leu direitinho o manual do boquete.

Ela riu, ele a acompanhou.

Ele pegou o celular na mesinha de centro e se virou para ela, parecendo notá-la pela primeira vez.

— O cabelo ficou bonito.

Ela se iluminou um pouco, a despeito de si mesma, a sensação de desperdício fazendo-a se contrair ligeiramente.

— Obrigada, amor. — Levantou-se e deu um beijo na testa dele antes de se dirigir mais uma vez à janela. — Você viu a lua?

Ele estava concentrado na tela do celular, demorou a responder:

— Não.

Ela fitou o prédio da frente, o paredão de janelas iluminadas onde se entrevia, aqui e ali, uma forma humana. Depois voltou novamente os olhos para dentro da sala, a televisão ligada em volume baixo, Sérgio sentado na poltrona, concentrado na tela do celular.

— Pensei que você tivesse gostado da princesa.

Sérgio ergueu os olhos para ela e abriu um sorriso forçado, contraindo a testa, um ligeiro encolhimento dos ombros. Mas não respondeu, ou antes respondeu com o sorriso forçado, a contração da testa, o encolhimento dos ombros: uma resposta que era reação, o comportamento diante de uma ameaça.

Voltou os olhos para a tela do celular e, como se precisasse do incentivo daquela menção à "princesa", abriu a conversa que eles haviam travado dias antes. Sem surpresa, mas com um sentimento difuso que era muitas coisas e não era nada, ou não podia ser, ou não devia, viu que ele estava on-line.

Leu as duas últimas linhas da conversa, trocadas ainda naquela madrugada, depois de ele finalmente ter despertado por vontade própria, ou por vontade do acaso, na falta de um beijo apaixonado, e surpreender Sérgio sentado no chão da sala fitando a própria sala, linhas trocadas depois de os dois se despedirem junto à porta sem beijo ou abraço, "A gente vai se falando", "Claro", um aceno de cabeça e o olhar cúmplice, trocadas depois de finalmente Sérgio se deitar na cama agora vazia, mas guardando um resto de cheiro que não era seu e portanto era de Vinicius, a cama que lhe cabia novamente inteira.

Ele pegara o celular na mesinha de cabeceira e escrevera aquele "Curti hj" que transmitia ao mesmo tempo o recado em si e certa leveza, pelo verbo escolhido e pela segunda palavra encurtada, quase displicente. Era imperioso mandar o recado, ele sentia necessidade disso e não se furtaria ao que sentia ser necessário, mas queria se precaver da possibilidade de parecer seduzido, portanto lançava a garrafa no oceano, mas a lançava com um bilhete escrito pela metade, um bilhete escrito em outra língua, aquele genérico "Curti hj" que podia conter um recado mas também podia não contê-lo, sendo apenas uma mensagem automática.

Quinze minutos depois, quinze minutos durante os quais ele não apagara a luz do abajur, embora tivesse sono, ouviu o celular vibrar e leu a resposta de Vinicius, o "Tb curti" que transmitia a mesma leveza de uma palavra encurtada e daquele verbo descontraído que agora era uma repetição, a resposta que podia conter um recado mas também podia não contê-lo, sendo apenas uma mensagem automática: a última linha da conversa entre os dois.

Sérgio deixou o celular sobre o braço da poltrona e se espreguiçou, com um bocejo.

— Estou cansado.

Joyce desgrudou os olhos da televisão, onde um grupo de homens tentava salvar focas perseguidas por outro grupo de homens, e o fitou com a cabeça ligeiramente inclinada.

— Muito, amor?

— A ponto de morrer.

— Ah, morrer, não. — Ela abriu um sorriso. — Morrer nunca é uma boa ideia. A menos que você seja muçulmano. Imagina, trinta mulheres virgens.

Ele a encarou.

— O que eu faria com trinta mulheres virgens?

— Escravizaria.

Ele riu, ela o acompanhou.

Ele olhou para o celular, largado sobre o braço da poltrona, com a tela escura, mudo, o celular que não acusava o recebimento de uma nova mensagem de Vinicius embora Vinicius estivesse on-line, conversando com alguém que podia ser sua mãe, um colega de trabalho, um amigo distante ou uma foda futura, uma foda corrente, o amor de sua vida.

Perguntou:

— Que filme nós vamos ver?

Joyce pegou o laptop sobre a mesinha de centro e abriu a pasta onde se achavam os trinta filmes que havia baixado naquele mês. Com o gesto seguro de uma secretária eficiente, estendeu o computador para Sérgio, que se pôs a ler os nomes dos filmes desconhecidos, um a um, como se não fossem filmes desconhecidos ou como se, pelo nome, pudessem deixar de ser.

Muito nítido, Sérgio ouviu o celular vibrar e desviou o olhar da tela do computador, onde os nomes dos trinta filmes se acotovelavam, confundindo-se, para a tela do celular, que permanecia escura.

— É o seu — disse para Joyce, que mantinha os olhos grudados na televisão e tateou o sofá em busca da bolsa.

Contrariada, interrompeu a atenção que dedicava à luta daquele grupo de homens para salvar as focas perseguidas por outro grupo de homens, acendendo o telefone. Leu a breve mensagem, abriu um sorriso involuntário e teve muito claramente o pensamento: Quando não sinto raiva da humanidade, sinto uma compaixão terrível.

— Ah, Amanda — suspirou.

Sérgio a encarou.

— O que houve?

— Nada. — Joyce se pôs a digitar. — Quer alguém para dividir a lua.

— Rá! — Sérgio retomou a leitura dos nomes dos filmes. — E o que se responde a um lamento desses?

— "Dividir pra quê se você pode ter ela inteira pra você?" Ele riu, ela o acompanhou.

Ela botou o telefone no modo avião e deixou-o sobre a mesinha de centro.

Ele lhe estendeu o computador como o chefe satisfeito de uma secretária eficiente.

— Escolhe você. Não gosto de opções.

Muito nítido, ouviu novamente o celular vibrar e conferiu a tela do aparelho com alguma inquietação (como se acreditasse em sintonia mental, o pensamento dele em Vinicius tendo provocado em Vinicius um pensamento nele) mas não tanta inquietação assim, porque podia afinal ser de fato uma mensagem de Vinicius, nessa vida tudo é possível, ou quase tudo, mas também podia ser — e era mais provável que fosse — a mensagem de um colega de trabalho, de um amigo distante ou de sua mãe. Podia ser a mensagem de uma foda futura — havia pelo menos três homens com quem ele andava teclando. Mas, no fim, era a mensagem de uma foda corrente: o moço da camiseta do Pac Man.

E a mensagem era apenas o que era: uma mensagem. O ícone de uma mãozinha estendendo o polegar, uma espécie de selo de aprovação bem-humorado. Mas, em realidade, um selo de aprovação que em sua abrangência de sentimentos positivos podia representar também admiração, entusiasmo, talvez, forçando uma barra, deslumbramento. Um ícone que, em seu limite e, sem dúvida forçando uma barra, podia representar até mesmo o mal-afamado amor à primeira vista, num mundo descrente dele. Um ícone que, por ser ícone, eliminava o perigo do peso excessivo e risível de uma declaração de amor à primeira vista e que revelava ocultando.

Sérgio não demorou em responder, enviando imediatamente o emoticon de uma piscadela, o que por sua vez sugeria reciprocidade. O selo de aprovação estampado de volta, mas um selo de aprovação que, em sua reciprocidade e por sua abrangência de sentimentos positivos, podia também ser entendido pelo moço da camiseta do Pac Man como admiração, entusiasmo, talvez deslumbramento ou quem sabe até mesmo o mal-afamado amor à primeira vista. Forçando uma barra que talvez o moço fosse capaz de forçar.

Um selo de aprovação que, por outro lado, também podia ser entendido como uma mensagem vazia, automática, como a mensagem vazia e automática que de fato foi quando Sérgio a enviou muito rapidamente, logo devolvendo o celular ao braço da poltrona, sem dispensar ao moço um pensamento que o incluísse por inteiro, ou dispensando a ele esse pensamento como quando se cumpre uma tarefa.

— Quando esse menino nasceu, o Pac Man já estava morto, não estava? — perguntou, sem a intenção de ser ouvido ou receber uma resposta.

Joyce não desgrudou os olhos da tela.

Com algo próximo à culpa, ele se esforçou para dispensar ao moço um pensamento que o incluísse por inteiro, mas o que lhe sobreveio com a lembrança do encontro daquele fim de tarde foi apenas ele próprio: a breve luta consigo mesmo no instante em que se deu conta de que não conseguia se livrar de seu modus operandi, depois de ter identificado esse modus operandi no encontro com Vinicius.

E por isso houvera o copo d'água acompanhado de um beijo na boca, seguido pelo gesto seguro de tirar a camiseta do moço e lhe abrir a bermuda e puxá-lo para o sofá da sala, a escala antes do destino final. E depois houvera o ritmo dele, o ritmo que Sérgio imprimia com alguma urgência, antes que o parceiro tivesse a chance de imprimir o seu. E depois do sexo houvera o momento de apertar rapidamente o braço do moço e os poucos segundos durante os quais tinha fitado o teto, arfante, antes de propor um banho, impelindo o moço ao boxe sem entrar ali ele próprio.

Mas, nesse fim de tarde, houvera algo que diferia de toda a sequência de passos marcados.

Com o sentimento flagrante da culpa, Sérgio se lembrou do momento em que notara ainda pendurada no banheiro, à espera da diarista que só viria no dia seguinte para lavar a roupa suja, a toalha que Vinicius havia usado dias antes. Com o sentimento flagrante da culpa, lembrou-se de que chegara a cogitar ir buscar uma toalha limpa, o que sobretudo lhe daria uma desculpa para ficar ausente do banheiro durante o tempo necessário para o banho do moço. Mas optara afinal por oferecer a ele aquela mesma toalha, a toalha de Vinicius, assim tirando dela esse atributo, a toalha que agora era de ambos, antes que a diarista a tornasse de ninguém.

Com o sentimento flagrante da culpa, lembrou-se de que se limitara a manter sua marcação junto à pia, durante todo o tempo observando o moço debaixo do chuveiro sem ter recorrido ao álibi que justificaria sua ausência do boxe para o banho a dois, com aquele embaraço de sua desarmonia inevitável: o repertório dos gestos individuais de ensaboar, esfregar e lavar no compartilhamento de um espaço limitado, seus próprios movimentos de fuga para não haver o toque depois de passada a hora do toque.

Sem recorrer ao álibi que lhe era de praxe, Sérgio portanto mantivera durante todo o tempo sua marcação como uma espécie de postura em si, atendendo apenas a sua própria vontade sem oferecer justificativas, que o moço não pediu: ele simplesmente fazia o que queria num mundo onde cada um fazia o que queria. Num mundo onde, ele tinha certeza, o próprio moço só fazia o que queria.

E, naquele momento, apenas de leve Sérgio adivinhou o cheiro do descaso que prestava em sua marcação que era uma postura em si e na anterior oferta de uma toalha que o moço já vira pendurada no banheiro e que, já pendurada no banheiro, estava naturalmente em uso. Uma toalha que o moço poderia, sem abusar da imaginação, deduzir usada por outros moços, como era.

Somente agora, ao dividir a sala com a presença reconfortante de Joyce e se esforçar para dispensar ao moço um pensamento que o incluísse por inteiro, Sérgio ruminava o sentimento flagrante da culpa, percebendo a extensão do descaso do qual, naquele momento prévio, em sua marcação junto à pia, sentira apenas o cheiro, de leve. E, com esse sentimento agora flagrante de culpa, tornado ainda maior porque, no esforço de incluir o moço por inteiro num pensamento, ele ponderava sobre si mesmo e apenas tangencialmente sobre o moço, Sérgio aprofundou a espiral e decidiu, sem decidir, investigar o descaso.

Lembrou-se de que o descaso na verdade começara antes mesmo de encontrar o moço: na leitura do texto do perfil do moço, na contemplação das fotos explícitas do moço e na troca rápida e eficiente de um diálogo ensaiado que, rápida e eficientemente, havia sido encurtado pela falta de rodeios do moço em suas perguntas diretas e suas respostas quase apressadas, o que, por sua vez, transmitia uma ânsia que Sérgio preferia maquiada, uma ânsia que, sem maquiagem, mostrava-se não apenas nua mas nua sob a luz fluorescente e esverdeada de uma sala de cirurgia, uma ânsia que, deixando-se clara em excesso, deixava claro em excesso que Sérgio era apenas a possibilidade de saciação dela — Sérgio um copo d'água para a sede declarada do moço, uma tulipa de chope gelado.

Joyce se levantou do sofá, amarrando o cabelo em si mesmo, num arremedo de coque fadado a se dissolver, mas bonito enquanto durava, bonito em sua lenta dissolução. Com o gesto seguro de uma secretária eficiente, dirigiu-se à mesinha de canto e pegou na primeira gaveta um pen drive preto de muitos gigas, no qual ficou tamborilando os dedos de unhas vermelhas durante o trajeto de volta para o sofá, de súbito parando junto ao aquário, onde se demorou observando os peixes em seu deslocamento pela água. Com o gesto lânguido de uma mulher a quem jamais teriam sido ensinados gestos seguros, uma mulher que não revelava em sua postura nenhum atributo de uma secretária eficiente, jogou uma pitada de comida para os peixes, que interromperam seu deslocamento horizontal para subir à superfície.

Muito nítido, Sérgio ouviu o celular vibrar e conferiu a tela do aparelho exibindo uma falta de interesse que, em seu exagero, só podia ser o contrário dela. Mas não era Vinicius. Não era sua mãe, nem um colega de trabalho, nem um amigo distante, nem uma foda futura ou corrente: era mensagem de um grupo que ele havia se esquecido de silenciar.

Com a falta de interesse que, agora em sua medida justa, não podia ser outra coisa, Sérgio devolveu o celular ao braço da poltrona.

Ainda observando os dois peixes dourados, como num transe, Joyce disse:

— Para as relações começarem, basta o acaso.

— Otimista você.

Ela riu, abandonou a postura largada diante do aquário e retornou ao sofá, onde arrastou um filme do HD do computador para o pen drive. Ele pegou novamente o celular no braço da poltrona, contemplou a tela escura, alisando-a como à lâmpada de um gênio, e, um tanto assustado consigo mesmo, pensou que na verdade o descaso, que ele havia imaginado iniciado durante a conversa pelo Aplicativo, começara antes disso: antes que ele tivesse lido o texto do perfil do moço e visto suas fotos explícitas, antes de o moço saudá-lo com aquele "Blz?" que era o "Blz?" de todas ou quase todas as saudações. Começara no instante em que abriu o Aplicativo e viu no perfil de Vinicius a bolinha verde que indicava que ele estava on-line. Ali começara o descaso. Porque, se o interesse de Sérgio estava em Vinicius, tudo o mais, em maior ou menor grau, seria descaso.

Sérgio devolveu o celular ao braço da poltrona.

Joyce tirou o pen drive do laptop, deixou o computador sobre a mesinha de centro, o pen drive ao lado. Ele pensou que aquela frustração por não receber mensagem de um rapaz que ele havia conhecido dias antes era infundada, adolescente e anacrônica, embora soubesse na mesma medida que não chegava a se tratar de um sofrimento, um pensamento obsessivo que o acompanhasse ao longo do dia. Tratava-se de um incômodo, como o mau jeito que damos no ombro e, apenas quando ficamos em certa posição, sentimos a fisgada e pensamos "esse maldito ombro". Era uma irritação, um frisson às avessas cada vez que o celular vibrava acusando chegada de mensagem sem acusar a chegada de uma mensagem de Vinicius. Porque era afinal a vez de Vinicius mandar mensagem, depois de Sérgio ter mandado aquele "Curti hj" na madrugada da primeira noite. Da única noite.

Com a cabeça ligeiramente enevoada, e como quem assume um crime, Sérgio pensou que, por outro lado, também era infundada, adolescente e anacrônica essa exigência de um equilíbrio; infundado, adolescente e anacrônico o cabo de guerra que, também por outro lado, talvez só existisse em sua cabeça, Vinícius já em outra, Vinicius nunca nem sequer na dele, o cabo de guerra apenas uma invenção de Sérgio para transformar algo que não era em algo que podia ser. O cabo de guerra, uma fantasia.

Com a cabeça ligeiramente enevoada, Sérgio pensou que estava cansado de pensar.

Como se desse prosseguimento a uma conversa, disse:

— O melhor amor é o amor-próprio.

— Ah, sem dúvida. Mas nesse nunca sou correspondida.

Sérgio riu, Joyce o acompanhou.

Ele disse:

— O melhor amor é o amor a Deus.

— Amém.

— Porque aí exige fé, que já é própria do amor.

Ela se virou para ele, ele passou a mão na cabeça e fixou os olhos na televisão, onde modelos cujos corpos eram corpos apenas para desfilar roupas desfilavam roupas que não eram roupas para usar.

— O melhor amor é o amor sublimado.

Joyce o encarou.

— Você está um pouco fixado nessa história de amor, amor. Se ligou no jovem lisinho de hoje? Ou no jovem lisinho do outro dia?

Sérgio abriu um sorriso torto e piscou o olho para ela. Demorou alguns segundos para responder:

— Nem que eu quisesse.

Então duas coisas simultâneas aconteceram: a cortina da janela se fechou com uma impensada corrente de ar, naquele apartamento onde nunca havia correntes de ar, naquela rua emparedada de edifícios que não permitia correntes de ar, e uma salva de palmas ecoou alto na sala, vinda da televisão, onde terminava o desfile de roupas feitas para não usar.

Joyce se dirigiu à janela e abriu a cortina, contemplando as janelas do prédio da frente: primeiro as inferiores, que deixavam devassadas suas salas iluminadas, depois as superiores, para as quais a sala iluminada deles ficava devassada.

— Tenho certeza de que, num desses apartamentos que dão vista para o nosso, tem um homem que me observa, fascinado.

Ela riu, ele a acompanhou.

Na televisão, um crítico de moda elogiou o desfile de roupas que não eram roupas de usar, depois o estilista das roupas que não eram roupas de usar disse que estava satisfeito com o resultado do trabalho e que todo o empenho dos últimos meses tinha valido a pena.

Joyce se afastou do espelho e pegou na mesinha de centro o pen drive, com o qual ficou brincando entre os dedos, antes de enfiá-lo na televisão. Sentou-se no sofá e pegou o controle remoto sem usá-lo imediatamente, apenas deixando-o junto ao corpo, como um talismã.

Sérgio largou o celular no braço da poltrona, mas, depois de pensar melhor, botou-o sobre a mesinha de centro, empurrando-o com o pé até que o aparelho ficasse o mais longe possível de seu alcance.

Controle remoto na mão, dedo indicador pairando sobre o botão que daria início ao filme, Joyce o encarou.

— Posso?

— Deve.

TERCEIRO ATO

QUANDO CHEGOU EM CASA, às três horas da manhã, e notou que a porta do quarto de Sérgio estava aberta e a luz estava acesa, Joyce sentiu aquela ponta de alegria que sempre sentia quando a porta do quarto de Sérgio estava aberta e a luz estava acesa, a alegria que era uma espécie de arremedo de segurança, o conforto distante de saber que, em caso de incêndio, não teria de descer a escada de emergência sozinha.

Ela sorriu.

Sentou-se no sofá, tirou os sapatos de salto alto, que empurrou para debaixo da mesinha de centro, massageou um pouco os pés, depois o pescoço, abriu os botões da camisa branca e se recostou espreguiçando-se languidamente, mas não tão languidamente quando se espreguiçara duas horas antes, na cama daquele moço de olhos claros muito bonitos, porque duas horas antes ela se espreguiçava não por uma necessidade do corpo, mas para se mostrar lânguida. Para se encaixar no desejo dele, ou no que imaginava ser o desejo dele.

Joyce se deteve no ato de espreguiçar-se e fitou o teto como se acabasse de ter uma epifania.

Porque o moço de olhos claros muito bonitos, que tocava o corpo dela como um especialista em tocar corpos, a havia também incomodado ao longo daquela noite, do contrário maravilhosa, na insistência de dizer seu nome durante o sexo. Virava e mexia, Joyce. Virava e mexia, Joyce.

Porque isso pressupunha uma intimidade que eles não tinham, sentira ela na hora, mais do que pensara, e porque assim virava uma caricatura de intimidade. Ele apertando o seio esquerdo dela e aninhando o rosto em seu cabelo: Joyce. Ele se ajeitando entre as pernas dela e metendo fundo: Joyce. Era quase melhor que a chamasse de outro nome, sentira ela na hora, mais do que pensara, que a chamasse de Luiza, de Clara, de Verônica. Ou que tivesse esquecido seu nome, sentira ela na hora, mais do que pensara, ele que só conhece minha fachada, meu texto mais superficial, mais decorativo, meu humor de vitrine, meu joguinho de sedução com make-up antirreflexo, meus sininhos, meu mostruário de frases espirituosas, só a pele e mesmo assim uma parte, a epiderme da pele.

Fitando o teto, Joyce pensou no moço de olhos claros muito bonitos com certa compaixão remota, a compaixão que dispensamos às vítimas de um desastre natural, mas todavia compaixão. Porque, assim como ela se espreguiçara languidamente para se encaixar no desejo dele, ou no que imaginava ser o desejo dele, talvez ele tivesse insistido em dizer seu nome durante o sexo também para se encaixar no que imaginava ser o desejo dela, o desejo do outro sempre o enigma impenetrável, mesmo quando dito, mesmo quando desenhado, apresentado em gráfico, tabela e lista alfabética, que dirá quando não. O desejo mutante do outro, o desejo desconhecido do outro pelo próprio outro, o desejo que em seu limite inconsciente pode ser a desatenção ao desejo.

Fitando o teto, Joyce pensou no toque ora delicado ora bruto daquele moço que parecia especialista em tocar corpos, transmitindo a ela um caleidoscópio de sensações, e se lembrou do momento em que, brincando mas ao mesmo tempo dizendo o que realmente lhe passava por dentro, murmurou para ele: "Você é um parque de diversões".

Ele havia sorrido, ela se lembrou.

E se lembrou de que, depois do sexo, quando desgrudou o corpo suado do corpo suado dele, deitando-se a seu lado, e ele a beijou sem dizer seu nome, um beijo de olhos fechados, ela descansou a mão sobre o peito ofegante e murmurou, brincando mas ao mesmo tempo dizendo o que realmente lhe passava por dentro: "Você me estragou para a vida".

Ele havia sorrido, ela se lembrou.

E se lembrou de que ele pegou a mão dela, que descansava sobre o peito ofegante, e levou essa mão ao pau dele, que continuava duro. E fitando-a com seus olhos claros muito bonitos, disse: "O parque de diversões ainda não fechou".

Ela sorria quando Sérgio surgiu na sala.

— Feliz, Babycakes? — perguntou ele.

— Que palavra forte, Sweet Pea.

Ele sorriu, acompanhando o sorriso dela. Sentou-se no sofá e ligou a televisão, onde a apresentadora de um programa de variedades entrevistava a apresentadora de outro programa de variedades. Baixou o som ao mínimo e se virou para ela, cujo sorriso era agora apenas a vaga lembrança de um sorriso.

— Noitada boa?

— Sempre.

— Homem envolvido?

— E existe noitada boa sem?

Ele sorriu, ela o acompanhou.

Ele perguntou:

— O moço do alemão?

— Um querubim que toca violão.

— Um artista!

— Que palavra forte, Sweet Pea.

Na televisão baixa, a apresentadora entrevistada dizia que se alimentava para ter uma velhice com qualidade de vida.

Sérgio mudou de canal.

— Alguém com quem você gostaria de se reencontrar?

— Hoje, eu diria que sim — respondeu ela, meditativa. — Mas, daqui a dois dias, a gente sabe.

— A gente sabe? — perguntou ele, em tom de afirmação.

— Daqui a dois dias a gente sabe que não — completou ela. Então, como se acabasse de lhe ocorrer, acrescentou: — A menos que ele não telefone.

Ele sorriu, ela o acompanhou.

Na televisão baixa, uma professora do ensino fundamental era entrevistada por uma repórter muito jovem que se vestia como a âncora muito mais velha.

Sérgio aumentou um pouco o som, o bastante para que as palavras se fizessem mais claras. Olhou para Joyce.

— Mas hoje você diria que sim.

— Hoje eu seria louca se não dissesse que sim.

— Ele conhecia os irmãos Coen?

— Conhece até os irmãos Dardenne.

Ele soltou um assobio.

— E ainda toca violão?

— Violão, ukulele e banjo.

— Um artista!

— Um artista.

Ela pegou a bolsa para procurar a carteira de cigarros, ele voltou os olhos para a televisão, onde a professora do ensino fundamental dizia que para ela bastava.

Sérgio mudou de canal.

— E na cama?

— Um artista. — Ela acendeu o cigarro, soltou a fumaça. — Tocava meu corpo como se eu fosse um instrumento, e eu emitia as notas que ele pedia, obediente.

Joyce estendeu a carteira de cigarros para Sérgio, que perguntou:

— Não tem ganja?

— Aí dentro.

Ele tirou da carteira o baseado e o acendeu fitando a televisão, onde um homem dizia a uma mulher que ela era a mulher mais bonita do mundo antes de os dois se reconciliarem na chuva, para o filme acabar. Deu duas tragadas e ofereceu o baseado a Joyce, que deu ela própria duas tragadas. Na televisão, a música, que antes era segundo plano para os últimos diálogos, ganhava destaque para a subida dos créditos.

Sentindo a cabeça anuviar, Sérgio pegou novamente o baseado e deu mais duas tragadas.

— Qual é o melhor elogio que te podem fazer?

— Você é boa de cama.

— Qual é o pior elogio que te podem fazer?

— Você tem bom coração.

Ele riu, ela o acompanhou.

Ele trocou de canal, ela prendeu o cabelo vermelho num coque frouxo e se espreguiçou. Soltou um suspiro comprido.

— Ele tinha uns olhos lindos...

Sérgio a encarou.

— Algum defeito?

— Dependendo do ponto de vista. — Joyce voltou os olhos para a televisão, onde um super-herói era vilipendiado pela opinião pública. — Recém-separado.

— Que perigo.

— Ou uma bênção.

Sérgio estendeu para ela o baseado.

Joyce deu mais uma tragada demorada e deixou a ponta no cinzeiro verde, fitando, absorta, a televisão.

— Isso elimina de cara a autoanálise que eu seria obrigada a fazer, daqui a dois dias, quando não quisesse reencontrá-lo.

Sérgio não riu.

Não disse nada, apenas ficou olhando-a largada no sofá com aquela sensualidade que parecia posada para algum vizinho do prédio da frente. No rastro do silêncio súbito, Joyce despregou os olhos da televisão, alongando-os na direção de Sérgio.

— Já dei guarita para muito homem em apuros. Já tive meu rebanho de ovelhas perdidas. Todas viraram lobo.

Sérgio abriu um arremedo distante de sorriso e voltou os olhos para a televisão, onde o super-herói continuava sendo vilipendiado pela opinião pública. Joyce acompanhou o olhar dele, de pronto ganhando aquele ar absorto diante da tela.

— Enfim, defeito nenhum — disse, sem piscar os olhos já vidrados. — Recém-separado, o que impossibilita qualquer coisa além do que já foi. O máximo que se pode conseguir em termos de perfeição.

Ele sorriu, ela o acompanhou.

Ele apoiou os pés na mesinha de centro e abriu as mãos diante dos olhos, observando-as, primeiro as palmas, depois o dorso. Recostou a cabeça, fechou e abriu os olhos. Virou-se novamente para Joyce, uma vontade de instaurar o diálogo que fosse.

— A palavra é... — Ele se deteve, meditativo. — "Fantasia".

Ela desgrudou os olhos da televisão e o encarou, a cabeça levemente inclinada.

— Fantasia? — Endireitou-se no sofá. — Uma varanda no campo, rede, canto de passarinho, cheiro de mato e chuva, que já passou, o sol se abrindo, o dia quente. E três negões maravilhosos. De paus enormes. Mas veados. Passivos. Eu olhando de um quartinho com ar-condicionado, dentro da casa. Gosto só pelo desperdício geral.

Ele riu, ela o acompanhou, um riso demorado.

Ele procurou no ar a continuação do diálogo e pediu:

— Um distúrbio de fantasia.

Ela procurou no ar a resposta e disse:

— Anorexia. Mas já passei da idade. Isso ou cleptomania. Imagina, roubar besteira. Eu que adoro uma coisa desimportante.

Ele riu, ela o acompanhou.

Ela disse:

— Minha vez. — E procurou no ar a sequência do diálogo. — Uma profissão de fantasia.

Ele contraiu os olhos, pensativo.

— Maestro. Eu com minha varinha lá no alto, comandando. A versão artística do pastor de ovelhas.

Ela riu, ele a acompanhou.

Ele pediu:

— Uma tragédia de fantasia.

Ela disse:

— Ser a filha gordinha de pais atletas.

O riso demorado.

Ela pediu:

— Uma superação de fantasia.

Ele disse:

— Não ter os dois braços e conseguir tocar uma.

O riso demorado.

Ela:

— Você pode ser péssimo.

Ele:

— Eu tento.

Ela se virou para a televisão, onde o super-herói continuava sendo vilipendiado pela opinião pública, o super-herói que, sendo super-herói, não guardará rancor das pessoas e continuará as defendendo. Pegou o controle remoto e mudou de canal.

— E sua noite, Sweet Pea, como foi?

Sérgio sentiu como se de repente o brilho da televisão fosse um spot sobre ele, o resto da sala escuro, o cenário inexistente, visíveis apenas ele e a expectativa de sua resposta.

— Minha noite foi boa — respondeu devagar, dividindo a atenção entre a sensação incômoda de estar debaixo do refletor e os surfistas que infestavam a televisão.

— Mais um jovem lisinho?

— O mesmo jovem lisinho.

— O moço da camiseta do Pac Man? — surpreendeu-se ela.

— O jovem lisinho anterior.

— A princesa!

Sérgio a fitou com um arremedo de sorriso.

— A princesa.

E, dividindo a atenção entre a sensação incômoda de estar debaixo do refletor e os surfistas que infestavam a televisão, pensou em Vinicius.

Mais especificamente, pensou na resposta displicente e ao mesmo tempo receptiva de Vinicius à mensagem que ele mandou depois de aposentar o cabo de guerra que talvez só existisse em sua cabeça, aquela exigência infundada, adolescente e anacrônica de equilíbrio. Pensou no convite feito por Vinicius antes mesmo que ele tivesse a chance, o convite antecipado para lugar nenhum ou qualquer lugar, desde que juntos, aquele "vamos fazer alguma coisa" que era geograficamente amplo, mas restrito na frequência: eu e você.

Com um friozinho na barriga, lembrou-se de sua resposta, que foi a surpresa de se pegar chamando-o para um filme, ele tinha ganho convites, ele não sabia se era bom, não guardava nenhuma expectativa, não tinha lido nada a respeito, mas havia os convites.

Fitou Joyce.

— Você se surpreende consigo mesma?

— Pelo menos cinco vezes por dia.

Com um friozinho na barriga, pensou no friozinho na barriga que sentiu antes da decisão de chamá-lo para aquele filme, os segundos em que cogitou deixar no ar a proposta de Vinicius, "vamos fazer alguma coisa", bancar o difícil, talvez, o cabo de guerra não de todo aposentado. Pensou na decisão afinal de chamá-lo, os dedos ágeis sobre o teclado do celular, mas hesitando ainda um pouco antes do ENVIAR. Aquele ENVIAR por um triz.

Com um friozinho na barriga, pensou que a vida talvez sempre acontecesse por um triz. Por um triz, o acidente; por um triz, só mais um susto. Por um triz, o reencontro inconcebível; por um triz, apenas mais uma noite no bar. Por um triz, a ida à lotérica, a gravidez indesejada, a travessia da rua num trecho perigoso, por um triz a vida que continua. Por um triz, eu não ia à festa, não entrava ali aquele dia, não chegava a tempo ao meu destino. Por um triz, minha personalidade transformada de maneira definitiva, o insight redentor, a necessidade súbita de um segredo. Por um triz, talvez, o "sim" de Vinicius.

E aí o encontro e o cinema e o jantar que se seguiu ao filme, por um triz.

— A princesa adormeceu de novo na sua cama depois do sexo? — perguntou Joyce, lembrando-lhe do refletor.

Sérgio sentiu o rosto esquentar.

— Não teve sexo.

Ela despregou os olhos da televisão, infestada por surfistas muito leves e bronzeados, um deles especialmente leve e bronzeado, talvez por sua beleza, que realçava o tom da pele, a beleza que realçava os detalhes da maneira como ele se portava. Um surfista bonito com camiseta de cor indefinida, ou antes uma cor definida, de nome fugidio.

Joyce fitava Sérgio.

— Broxou, coisa rica? Acontece até com meus vibradores.

Ele riu, ela o acompanhou.

— Não, só não teve sexo — disse ele, afetando casualidade, os olhos fixos no surfista bonito, na camiseta com sua cor de nome fugidio.

Joyce o encarava, o spot aceso.

— E vocês fizeram o quê, brincaram de massinha?

Ele riu, ela o acompanhou.

— A gente foi ao cinema, jantou.

— Um encontro romântico!

— Que expressão forte, Babycakes.

Com um friozinho na barriga, Sérgio pensou na sessão de cinema ao lado de Vinicius, o filme se desenrolando e ele atento ao braço lisinho sobre o braço da cadeira, sem saber se tocá-lo seria uma atitude adolescente, sem saber se devia virar o rosto para Vinicius até que ele também virasse o rosto, e aí um beijo, quem sabe, ou se essa seria uma atitude adolescente. Com um friozinho na barriga, lembrou-se do instante em que Vinicius virou o rosto para ele até que ele também virasse o rosto, e aí o beijo, adolescente.

— O próximo passo é adotar uma menina chinesa? — perguntou Joyce.

— Concordamos que um dachshund seria melhor.

Ela riu, ele a acompanhou.

Com um friozinho na barriga, pensou no jantar que se seguiu ao filme, a conversa que fluía tão naturalmente entre eles, mesmo quando havia desencontro de repertório, Vinicius falando sobre filmes de animação, algo que nunca interessara a Sérgio, mas que agora ele se sentia impelido a investigar, por causa do entusiasmo de Vinicius; Vinicius falando sobre festas que aconteciam em locais inusitados com a intenção de ocupar a cidade, acendendo com seu entusiasmo uma vontadezinha em Sérgio de conferi-las, Sérgio que não frequentava festas havia tempo.

— Encontro sem sexo é perigoso — disse Joyce, com um sorriso que se pretendia zombeteiro.

Sérgio olhava os surfistas na televisão, sentia ainda o rosto quente, o spot.

— Fúcsia! — exclamou.

Joyce franziu a testa.

Ele indicou a tela.

— Eu estava querendo lembrar o nome dessa cor.

Ela avaliou o surfista.

— Que belo espécime.

— Meu consolo é saber que deve ter muito erro de português no Facebook dele.

Ela riu, ele a acompanhou.

Com um friozinho na barriga, pensou na sensação que havia tido durante o jantar, de que a companhia de Vinicius transformava aquele lugar no lugar certo. O olhar de Vinicius sobre ele, o joelho de Vinicius tocando seu joelho debaixo da mesa, os braços lisinhos de Vinicius se agitando para dar conta de seu entusiasmo pelos filmes de animação, pelas festas que ocupavam a cidade, o barulho do restaurante não importando, o excesso de pessoas à volta não importando, aquele lugar o lugar certo.

— Encontro sem sexo é perigoso — repetiu Joyce — porque você corre o risco de não gozar.

Ele riu, ela o acompanhou.

Ele pensou no alento que foi, durante o jantar, o fato de Vinicius não se debruçar sobre seus relacionamentos passados, algo que Sérgio se lembrava ser corrente quando ainda se encontrava com rapazes para ir ao cinema e jantar, a eterna ladainha de histórias anteriores, que não o incluíam e sobre as quais ele não tinha nenhum interesse, vez por outra ainda uns detalhes sexuais, quando detalhes sexuais alheios podem ser apenas assombrosos ou enfadonhos. Vinicius mencionou seus relacionamentos passados — um namoro de cinco meses, um casamento de dois anos —, mas apenas tocou de leve neles, pela necessidade de contar sua história, como quem discorre sobre a retirada dos sisos.

Com um friozinho na barriga, Sérgio pensou no alento que foi o fato de não ter de se debruçar sobre seus próprios relacionamentos passados, apenas tocando de leve neles, como quem discorre sobre a retirada dos sisos.

Olhou para Joyce, que mantinha os olhos vidrados na televisão.

— Fomos a um restaurante vegetariano.

Ela se virou para ele.

— Hoje não era *mesmo* a noite da carne.

Ele riu, ela o acompanhou.

Ele disse:

— O Vinicius é vegetariano.

— A princesa ganhou nome! — Ela o fitou. — Você pagou a conta?

— Ele pagou.

Ela abriu um sorriso que era uma máscara de susto.

— Tinha vela na mesa?

— Por acaso, tinha.

— Um encontro romântico!

— Um encontro romântico.

De súbito, foi como se o spot se apagasse, o erro no script, a interrupção irreversível, a fala impronunciável que desencadeia a dissolução dos papéis, deixando os atores nus. Joyce se espreguiçou languidamente e se levantou devagar, passou a mão no cabelo de Sérgio e se dirigiu ao espelho com sua bolsa. Pegou na bolsa algodão, um frasco.

— Você está interessado.

— Estou interessado.

Ela molhou o algodão no líquido do frasco e se pôs a tirar a maquiagem.

— Uma hora acontece. É da natureza humana.

— Natureza humana, essa ficção científica.

Joyce esfregou a testa, o queixo, pegou mais um chumaço de algodão e esfregou as faces em movimentos suaves mas precisos.

— Uma hora acontece — repetiu.

Sérgio a observava como muitos anos antes observara sua mãe diante do espelho, ligeiramente enfeitiçado.

— Mas e se eu não quero?

— Você não quer?

Ele pensou em Vinicius, o cinema, o braço lisinho sobre o braço da cadeira, o beijo adolescente, o entusiasmo pelos filmes de animação, pelas festas que ocupavam a cidade. Pensou no olhar de Vinicius do outro lado da mesa do restaurante, o olhar que era o olhar de quem pode se permitir entrar junto no barco, de quem está disposto a arriscar.

— Mas e se eu não quero? — perguntou, como se já não tivesse perguntado.

— Se você não quer, esperneia.

Ele riu, mas era uma sombra de riso. Ela o acompanhou, uma sombra de riso.

— Eu tenho o meu problema — disse ele, num murmúrio que se fez ouvir.

— Cada um tem os seus.

— O meu é complicado.

— Não é mais complicado do que ter mau hálito.

Ele a observava, enfeitiçado.

— Pra mau hálito tem Halls.

— Pra HIV tem camisinha, tem PrEP. Tem remédio deixando carga viral indetectável.

Ele a observava, enfeitiçado.

— Você explica isso ao Vinicius?

— Ele já passou da adolescência, deve saber.

— Mas aí tem a diferença entre saber e acreditar.

Ela deteve o movimento dos dedos sobre o rosto, encarou-o.

— Carga viral indetectável é questão de fé?

— A certeza de que tudo vai ficar bem é questão de fé.

Mais um chumaço de algodão, o avesso dos retoques finais.

— A mentalidade das pessoas mudou, os tempos são outros.

— Em tese. Na prática, os tempos são os mesmos.

Ele pensou em Vinicius, o cinema, o braço lisinho sobre o braço da cadeira, o beijo adolescente, o entusiasmo pelos filmes de animação, pelas festas que ocupavam a cidade. Pensou no olhar de Vinicius do outro lado da mesa do restaurante, o olhar que era o olhar de quem pode se permitir entrar junto no barco, de quem está disposto a arriscar.

— Se eu tivesse três anos agora, tapava os olhos. Porque, aos três anos, tapando os olhos, você desaparece.

— Você não tem três anos.

Ele a observou fechar o frasco, guardá-lo na bolsa e voltar para o sofá, detendo-se para botar um punhado de comida para os peixes.

Num murmúrio que se fez ouvir, perguntou:

— E como é que se diz isso? Como é que se dá essa "notícia"?

Ele fez sinal de aspas com os dedos, largando as mãos no colo. Ela o fitou, séria.

— Não sei. A desvantagem em relação ao mau hálito, que a pessoa não precisa dizer.

Ele riu, uma sombra de riso. Ela o acompanhou, uma sombra.

Ele perguntou:

— E quando se diz? Quando se diz, agora que já ficou tarde?

II ¦ CINEMA

II. CINEMA

PARECIA UM FILME. A descida lenta do elevador, acompanhado por aquelas pessoas anônimas cujas vidas não tinham mudado nos últimos minutos, a parada do elevador em aparentemente cada andar, para receber mais pessoas anônimas cujas vidas não tinham mudado nos últimos minutos, a chegada afinal ao térreo, um térreo para o qual ele não queria saltar, um térreo diferente do térreo que ele havia deixado minutos antes. Por inusitado que fosse, havia um estado de calma que era o estado oposto do alívio, o que sobra depois da apreensão, depois que a apreensão se mostrou justificada, a calma que é a aposentadoria da apreensão e o resultado justificado dela.

Sérgio tinha agora o objetivo único de chegar em casa: algumas quadras, quase nada, mas ao mesmo tempo o deserto do Saara, superpopulado, o papel na mão como um novo documento, um decreto, uma condenação, o estado interior de calma transformando o que era exterior: as pessoas anônimas locomovendo-se pelo térreo indesejado em câmera lenta.

Sim, parecia um filme.

Agora.

Mas também antes.

Também durante o telefonema para o laboratório, minutos antes, a pergunta repetida, mais uma vez, a mesma feita havia alguns dias, primeiro num fio de voz, depois no volume exato, querendo se fazer ouvir, entre uma e outra um pigarro, separando a não intenção da intenção: "O resultado está pronto?"

Sérgio estava em pé no meio da sala, irritado com o laboratório em sua demora para lhe conceder afinal o alívio ou seu oposto, irritado com a eterna protelação daquele resultado nunca pronto, como se não fosse a coisa mais importante do mundo. Estava em pé no meio da sala, irritado, como estivera havia alguns dias, fazendo a mesma pergunta, primeiro num fio de voz, depois no volume exato, um pigarro entre uma e outra, até ouvir agora o "sim" que lhe pareceu quase uma surpresa, o "sim" que anulava a irritação e deixava em seu lugar apenas o medo que a irritação escondia.

Num fio de voz, ele perguntou, ingênuo:

— Você pode me dizer?

E a funcionária do laboratório, profissional:

— Não informamos resultados por telefone.

Então a corrida em câmera lenta até o quarto, para vestir uma bermuda e uma camiseta, qualquer bermuda, qualquer camiseta, a corrida em câmera lenta até o laboratório, a poucas quadras de distância, quase nada, mas ao mesmo tempo o deserto do Saara, superpolulado.

Sérgio avançava por entre as pessoas como numa corrida de obstáculos, os pés ávidos afundando em areia movediça, a corrida em câmera lenta.

Sim, parecia um filme.

Agora.

Mas também antes.

Também durante o telefonema inusitado do laboratório, havia duas semanas, com o pedido de que Sérgio refizesse alguns exames, e no ato ele soube que não se tratava de *alguns* exames, mas de um exame específico, aquele que exigia confirmação em seu caráter de documento, de decreto, de condenação. No ato ele se dirigiu ao meio da sala, que era sua marcação para momentos de ansiedade e sentimentos correlatos, e ali, em pé, prolongou a conversa até onde era possível prolongar aquela conversa fadada a ser curta, apenas a entrega de uma informação, a execução de uma tarefa burocrática, o despacho de uma bomba, uma entre uma centena de atividades da funcionária do laboratório.

Mas, terminada a conversa, curta como devia ser, Sérgio manteve sua marcação, em pé, no meio da sala, com o telefone na mão e o coração na boca, ou nem isso, o coração ainda em sua lenta batida regular, no peito, a ficha ainda caindo, aos poucos, a ansiedade apenas o ensaio de uma ansiedade, o susto que faz abrir a boca num grito mudo mas ainda não chegou ao resto do corpo. Em pé, no meio da sala, Sérgio manteve sua marcação como se tivesse clara consciência de que era preciso esperar o susto chegar ao resto do corpo para dar o passo seguinte: ir ao quarto, vestir uma bermuda e uma camiseta, qualquer bermuda, qualquer camiseta, e se apresentar no laboratório para refazer aquele exame específico. Mas o susto levou uma vida inteira para chegar ao resto do corpo, em câmera lenta.

Sim, parecia um filme.

Agora.

Mas também antes.

Também durante a febre alta e a dor no corpo, súbitas, a febre que, antes de se apropriar do corpo, anunciou sua chegada com uma sensação de frio medonha que o fazia tremer desesperadamente, apesar do calor da cidade, a dor que era ao mesmo tempo um cansaço e o esmagamento dos ossos, generalizada. Sintomas que indicavam algumas possibilidades e que levaram o clínico a pedir meia dúzia de exames, entre eles aquele. E ali ele já sabia, ele diria depois. Embora não soubesse. Ali era apenas uma suspeita do clínico adensando sua própria suspeita.

E mesmo depois, quando houve necessidade de repetir o exame e durante a demora do resultado final, adiado duas vezes, durante a lenta espera para que os dias cumprissem suas horas e virassem outro dia, durante os dois telefonemas feitos no meio da sala, no meio de tardes quentes, e depois afinal durante a subida do elevador para buscar o resultado, em câmera lenta, era apenas uma suspeita. Porque, embora não fosse um homem de fé, naqueles dias, além do medo, não havia nele outra coisa.

MAS, SE LHE DAMOS A CÂMERA, O FILME É OUTRO: A parede branca da sala, o livro do Leonilson que eu tinha comprado, música baixa e a gravidez da notícia. Porque, apesar da fé que eu vinha alimentando naqueles dias, eu também trazia, naqueles dias, em realidade, a certeza que antecedia todas as curtas conversas com a funcionária do laboratório, que antecedia o pedido para refazer o exame e a consulta ao clínico, a febre alta, a dor no corpo, os exames do ano anterior e do ano anterior àquele, quando não havia febre alta e dor no corpo, a certeza que antecedia os exames de todos os tempos, desde o começo, desde o primeiro, porque em realidade, desde que eu não tinha nem idade suficiente para compreender, e talvez antes, desde sempre, afinal, houvera a certeza de que na verdade um dia.

Como o fechamento de um ciclo.

Se eu acreditasse em ciclos.

Por isso havia, em realidade, naqueles dias de fé e medo, também a certeza. E por isso eu já pensava, naqueles dias, no primeiro passo a ser dado depois de receber a notícia, aquela notícia quente sobre mim mesmo. E o primeiro passo era escrever para Antônio, meu grande amigo Antônio, que morava no exterior e que havia quinze anos convivia com a doença e estava bem. E não estava.

O FILME É NOSSO, PORÉM.

Sérgio escreveu para Antônio de súbito, o texto rapidamente enviado como um desabafo, um pedido de socorro ou antes uma afirmação para si mesmo, como quem busca ajuda num grupo de apoio e precisa admitir o mal para si mesmo: meu nome é Sérgio e sou alcoólatra. Escreveu também, embora em pequena medida — a bem dizer em tão pequena medida que mal se deixava entrever na nebulosa de sua mente, mas se entrevia —, como a solicitação de ingresso num clube, só que um clube às avessas, um clube que em realidade não exigia solicitação, um clube compulsório formado por párias. Escreveu como quem diz Demorei mas vim, sou um dos seus, para deixá-lo menos só, para deixar o clube mais forte. Uma perversão que mal se deixava entrever na nebulosa de sua mente, mas se entrevia.

Antônio, sendo Antônio, recebeu-o com adequação na fraternidade, dispondo-se a responder a suas perguntas e tranquilizá-lo, a estar ali por ele, do outro lado do mundo, sim, mas ali todavia, na realidade virtual do Messenger, na hora que fosse, ou a vida permitisse, para responder a suas perguntas e tranquilizá-lo: que sim, depois do baque e de todos os sentimentos que o baque despertava, a vida continuaria igual, salvo algumas pequenas mudanças que a cada dia se tornariam mais despercebidas, absorvidas pelo costume — e aqui Sérgio não pôde deixar de se lembrar de que o homem tem a capacidade terrível e conveniente de se acostumar a tudo.

No silêncio que se seguiu, ainda que a distância, na realidade virtual do Messenger, Antônio, sendo Antônio, deduziu com adequação a origem da apreensão de Sérgio. Porque Antônio estava bem, e isso era uma verdade incontestável, e não estava.

Nos quinze anos desde que fora diagnosticado com a doença, Antônio mantinha a imunidade suficientemente alta para não ser acometido por nenhuma moléstia oportunista e levava uma vida normal, salvo pela visita esporádica ao infectologista e pela ingestão dos remédios que lhe permitiam essa imunidade "suficientemente" alta (e havia aí já um temor, a linha incerta que separa a suficiência da insuficiência) e por isso se podia dizer que estava bem e se podia afirmá-lo como uma verdade incontestável. Mas a ingestão dos remédios também realizara em seu corpo uma transformação não apenas interna, visível apenas na leitura errática dos exames médicos, mas a olho nu. A ingestão obrigatória dos remédios havia provocado em seu corpo uma mudança flagrante, transportando a gordura dos membros e do rosto para a barriga e assim envelhecendo-o não apenas internamente, mas na vida cotidiana, essa que não exige microscópios.

E portanto no silêncio que se seguiu, Antônio, sendo Antônio, escreveu Você está com medo de que aconteça com seu corpo o que aconteceu com o meu. E, antes que Sérgio pudesse garantir ao amigo que não, que isso nem lhe havia passado pela cabeça, enquanto Sérgio se atropelava no pequeno teclado do celular para digitar uma resposta cheia de erros de português que era apenas o que numa conversa cara a cara seria hesitação, Antônio, sendo Antônio, escreveu Hoje existem vários tipos de remédio, Sérgio, e não vou deixar você tomar o mesmo que o médico me receitou.

E essa promessa de cuidado a distância teve o efeito de um abraço de pai, ou de mãe até, um compromisso de segurança a lhe garantir que o mundo continuava sob seus pés e assim seguiria, um alento naqueles dias de aridez em que, além das horas vazias na agência, só havia a parede branca da sala, o livro do Leonilson, a parede branca da sala, música baixa, a parede branca da sala e pensamentos atrozes. Porque naqueles dias, num misto de cinismo e convicção, Sérgio era capaz de pensar "Se alguma coisa pode não dar certo, não vai dar". Era capaz de pensar "Eu tinha uma ótima relação com a vida, monogâmica inclusive, mas, como em toda relação, começo a perder o interesse".

Antônio perguntou se ele já tinha um médico.

Ele tinha o clínico, ele respondeu.

Você vai precisar de um especialista.

Ele não sabia qual era a especialidade.

Antônio explicou que ele precisava de um infectologista. Disse que conhecia uma profissional excelente. Escreveu o endereço e o telefone e pediu que ele marcasse uma consulta naquele instante, Agora, vou ficar esperando aqui, ele disse. Como se segurasse sua mão, depois de lhe dar aquele abraço de pai, ou de mãe até.

Sérgio se atrapalhou no pequeno teclado do celular para inventar uma resposta que fosse uma desculpa, uma protelação, uma negativa. Não se sentia pronto para tomar uma medida efetiva em relação ao que ainda era apenas uma notícia quente sobre si mesmo.

Antônio, sendo Antônio, não esperou a resposta que não vinha.

Perguntou Você está ligando?

Estou, Sérgio respondeu. E se arrastou contrafeito até o telefone fixo e digitou o número em parte desejando que a secretária não atendesse, ele nem sabia por quê. Mas a secretária atendeu e ele marcou uma consulta para a semana seguinte.

Marquei, ele escreveu para Antônio.

Você vai gostar dela.

Não estou no clima para gostar de ninguém.

A rabugice sempre foi seu melhor encanto.

E eu que achava que era meu corpinho enxuto.

Seu corpinho enxuto vem em segundo lugar, empatado com os modos de nobreza caída.

Sérgio se atropelou no pequeno teclado do celular para inventar uma resposta espirituosa que mantivesse o jogo e mostrasse uma capacidade de humor para a qual em realidade não se sentia nem um pouco apto, mas, na hesitação do texto truncado cheio de erros de português que não saía, Antônio se adiantou e repetiu Você vai gostar dela.

Tenho escolha?

A gente sempre tem escolhas.

No momento, sinto que fica entre a cruz e a espada.

Ah, o drama, eterno terceiro lugar dos seus encantos.

Eu não sabia que tinha tantos encantos assim.

São esses quatro.

Sérgio se atropelou no pequeno teclado do celular, o texto truncado, os erros de português. E no silêncio gerado, aquele silêncio a distância, Antônio, sendo Antônio, repetiu ainda mais uma vez as palavras já repetidas: Você vai gostar dela.

Como a lhe dar uma crença para os dias que antecederiam a consulta.

Como a produzir o som que criasse um eco na parede branca.

E de fato.

Nos dias que antecederam a consulta, quando não estava perdido no livro do Leonilson ou perdido nos versos de uma música sempre baixa, quando não estava atormentado por pensamentos difíceis ou recém-sobressaltado com palavras soltas que lhe espocavam na mente vindas aparentemente de lugar nenhum, inusitadas, às vezes em plena madrugada, quando era pior, Sérgio pensava na profissional excelente que decerto passaria a fazer parte de sua vida dali a pouco tempo, e isso lhe dava segurança. Alguma. O que, naqueles dias, era muito.

E de fato: mesmo quando em plena madrugada lhe espocava na mente uma palavra solta aparentemente vinda de lugar nenhum, palavras como "calvário" ou "extinção" ou "fragilidade", Sérgio se segurava no eco da garantia de Antônio, aquela garantia prática de que ele gostaria de uma profissional excelente, e se segurava ali com uma força que não imaginava ter. Em plena madrugada, quando não havia a maquiagem das horas diurnas com seus fogos de artifício, restando apenas o contato dele consigo mesmo e com o nada que lhe parecia um irmão próximo, ele se agarrava como podia e com uma força que não imaginava ter no eco dessa garantia de Antônio de uma profissional excelente de quem ele gostaria e que decerto passaria a fazer parte de sua vida. E só essa ideia de que a vida continuaria para abarcar uma profissional excelente já o tranquilizava. Um pouco. O que, naqueles dias, era muito.

Quando chegou ao consultório no dia marcado, quinze minutos antes da hora marcada, Sérgio se sentia estranhamente aéreo. Apresentou-se à secretária como um dia se apresentara no serviço militar, preencheu a ficha médica, respondendo mecanicamente às perguntas dela, e aguardou ao lado dos outros pacientes, buscando neles indícios de calvário, extinção e fragilidade, e os encontrando, fosse numa barriga inchada, fosse num par de mãos envelhecidas, num tom de pele esmaecido. Por alguns instantes, pensou que podia ter levado o iPod para se distrair, a música baixa que o arrancaria daquela realidade mesmo que para jogá-lo de volta à sala de casa com sua parede branca, mas chegou à conclusão de que, ainda que tivesse levado o iPod, certamente não o ligaria. Havia revistas de celebridades numa mesinha próxima, e ele geralmente era capaz de se entreter nessas revistas, mesmo que com um sentimento de desprezo, mas decidiu afinal que, assim como não ligaria o iPod caso o tivesse levado, tampouco desejava folhear uma revista. Não, ele não queria distração daquela realidade. Queria afundar nela.

Em meio aos adultos, havia duas crianças. Seis adultos, duas crianças, uma televisão ligada num programa de variedades. Uma das crianças estava sentada ao lado da mãe, compenetrada num joguinho que soltava barulhos desagradáveis. A outra, menor, andava pela sala sob o olhar desatento dessa mesma mãe. Sérgio investigou as crianças, investigou a mãe, o tom de pele esmaecido da mãe. Investigou o homem de seus cinquenta anos que lia ou via as figuras de uma revista de celebridades, a barriga inchada do homem. Investigou o rapaz de seus trinta anos que assistia à televisão, ou pelo menos tinha os olhos voltados para a tela, as mãos envelhecidas do rapaz. Havia uma mulher também de seus trinta anos que lia atentamente um livro de capa dura, a bolsa agarrada junto ao peito como se pudesse defendê-la de algum perigo. E, acompanhado de uma moça vestida de branco que era evidentemente sua enfermeira, havia um senhor de uns setenta anos que não fazia nada, não lia nem ouvia música ou assistia à televisão, tampouco observava a realidade daquela sala, que não parecia lhe interessar. Era como se tivesse os olhos voltados para dentro.

Sérgio investigou os pacientes um a um, relutante em aceitá--los como irmãos de calvário, mas ruminando a certeza de que ali se firmava sua entrada compulsória no clube de párias.

A secretária chamou um nome, Letícia, ela disse, sala 2B, e a mãe das duas crianças se levantou, o tom de pele esmaecido, cansaço no movimento automático de pegar a bolsa grande que se achava a seus pés. Vamos, Letícia, ela disse, dirigindo-se à menina que andava pela sala sob seu olhar desatento. E mãe e filhas subiram a escada que ficava ao lado do balcão, perdendo--se no andar superior do consultório.

Um homem de seus quarenta anos surgiu do corredor que ficava próximo à televisão e cruzou a sala, despedindo-se da secretária com um sorriso.

Na televisão, a apresentadora do programa de variedades ensinava uma receita de torta alemã.

A secretária chamou outro nome, Patrícia, ela disse, sala 1A, e a mulher de seus trinta anos que lia atentamente guardou o livro de capa dura na bolsa que mantinha agarrada junto ao peito como se pudesse defendê-la de algum perigo e se levantou, avançando para o corredor.

Estranhamente aéreo, Sérgio pegou o celular e procurou na internet aquele consultório, aquela clínica integrada de nome genérico, que, apesar do nome genérico, estava ali para ser encontrada, na internet, onde tudo se encontra. E descobriu que a clínica integrada de nome genérico tinha quatro médicos, de três especialidades distintas: havia uma pediatra, dois neurologistas e uma infectologista.

Estranhamente aéreo, Sérgio se sentiu um tanto tolo.

Acontecia.

Não era raro.

Ele quase sorriu.

E, por um instante, essa nova informação — que de imediato eliminava alguns daqueles pacientes como seus irmãos de calvário, contradizendo a convicção dele na observação da sala, o tom de pele, a barriga, o par de mãos — quase o desobrigou da ânsia de afundar naquela realidade, e ele desejou seu iPod e chegou mesmo a esboçar o gesto de pegar uma das revistas de celebridades. Porque o empirismo, ele sentia, havia falhado. O mundo externo traía. Ele sentia.

Por um instante, sem o iPod que ele poderia ter então ligado, e sem concretizar o gesto de pegar uma das revistas de celebridades, para as quais a bem da verdade nem sempre tinha paciência, apenas muito raramente, quase nunca, Sérgio se voltou para a televisão, onde a apresentadora do programa de variedades seguia ensinando a receita de torta alemã.

Ele gostava de torta alemã. Gostava de cozinhar.

E, por um instante, manteve os olhos voltados para a tela, decidido a aprender.

Mas apenas por um instante.

Porque a bem da verdade nem sempre tinha paciência para cozinhar, apenas muito raramente, quase nunca, e porque alguns daqueles pacientes, ele sabia, ou adivinhava, agora que o empirismo havia falhado, agora que o mundo externo o traíra, podiam ser de fato seus irmãos de calvário, sócios compulsórios do clube. E ele sentia necessidade de saber quais.

Um casal de seus trinta anos chegou ao consultório com uma criança de colo e se sentou de frente para Sérgio, sem vê-lo.

Um homem de seus cinquenta anos desceu a escada que ficava ao lado do balcão e saiu da clínica sem se despedir da secretária.

A secretária chamou um nome, Mauro, ela disse, sala 2A, e o senhor de seus cinquenta anos que lia ou via as figuras de uma revista de celebridades deixou a revista na mesinha, sobre as outras, endireitou o corpo, ajustando a camisa um pouco justa demais, que lhe caía mal, a barriga inchada, e subiu a escada, desaparecendo no andar superior.

Procurando memorizar os pacientes chamados e suas respectivas salas, 2B, 1A, 2A, Sérgio correu os olhos pela sala. Novamente investigou o rapaz de seus trinta anos que assistia à televisão, ou pelo menos tinha os olhos voltados para a tela. A camisa de botão do rapaz. A calça jeans do rapaz. As mãos envelhecidas do rapaz. Novamente, investigou o senhor de seus setenta anos que parecia ter os olhos voltados para dentro. A camisa de botão do senhor. A calça de tecido do senhor. As mãos envelhecidas como todo o resto.

Um rapaz de seus trinta anos chegou ao consultório e se sentou ao lado de Sérgio.

Uma mulher de seus quarenta anos chegou ao consultório e se sentou ao lado do rapaz.

Sérgio queria investigá-los. A posição não permitia.

Uma senhora de seus sessenta anos surgiu do corredor que ficava próximo à televisão e cruzou a sala, despedindo-se da secretária com um "Tchau, querida" que exalava simpatia.

A secretária chamou outro nome, Dejaci, ela disse, sala 1B, e o senhor de seus setenta anos que parecia ter os olhos voltados para dentro se levantou com a ajuda da moça vestida de branco que era evidentemente sua enfermeira, arrastando-se na direção do corredor.

Sérgio se sentia estranhamente aéreo.

Parece um filme, talvez ele pensasse.

Na televisão, a apresentadora do programa de variedades havia terminado de ensinar a receita de torta alemã e entrevistava um cantor de sucesso.

A mulher de seus trinta anos que, durante a espera, havia lido atentamente um livro de capa dura, mantendo a bolsa agarrada junto ao peito como se pudesse defendê-la de algum perigo, surgiu do corredor que ficava próximo à televisão e cruzou a sala, despedindo-se da secretária com um sorriso.

A secretária chamou um nome, Sérgio, ela disse, sala 1A, e Sérgio custou a entender que aquele nome era seu, que aquela sala seria a partir de agora sua, a sala da infectologista. Levantou-se devagar, avançou na direção do corredor e deu três batidas vacilantes na porta onde se lia "1A", antes de abri-la e entrar. Era uma consulta como outra qualquer e não era. Ele, estranhamente aéreo. Parecia um filme.

A médica abriu um princípio de sorriso reconfortante e indicou a cadeira, onde ele se sentou. Jaleco branco, óculos de tartaruga, mãos entrelaçadas sobre a mesa onde se encontravam apenas papéis. Como se ali não houvesse espaço para o supérfluo. Nenhum objeto de decoração, nem sequer fotografias de família. Atrás da mesa, um arquivo cinza. Parede branca. Música baixa. Podia ser a sala dele, mas não era.

A médica disse Oi, Sérgio, o que te traz aqui?

Estranhamente aéreo, Sérgio entrelaçou as mãos sobre as pernas, como a espelhá-la, e disse Então.

A médica abriu novamente aquele princípio de sorriso reconfortante.

Sérgio passou a língua nos lábios secos e demorou alguns segundos para dar prosseguimento à resposta, segundos que eram o tempo de tomar fôlego ou o tempo de se decidir a ir em frente afinal — e não fugir daquele consultório recusando sua realidade. Mas, passados esses segundos, narrou com surpreendente desenvoltura os acontecimentos dos últimos meses, entregando a ela o resultado do exame que mantivera no bolso, dobrado em mais partes do que seria necessário. Depois soltou um suspiro que era o de obrigação feita, a entrega a uma profissional excelente daquela notícia quente sobre si mesmo. Uma notícia quente que ali não era notícia quente alguma. Ali era o esperado. O rotineiro. Uma informação numerada. Mais um nome para o arquivo cinza.

A médica explicou que ele teria de fazer alguns exames, explicou que talvez precisasse dar início à medicação imediatamente, talvez não, os exames diriam.

Ele perguntou sobre aquela medicação específica, o remédio do Antônio.

Ela explicou que aquela medicação específica havia avançado muito e já não causava no corpo as transformações que causava no começo. Explicou que, de qualquer modo, não era a medicação que ele usaria.

Ele soltou um suspiro trêmulo.

Ela disse que não era o fim do mundo.

Ele a encarou buscando alguma sombra de incerteza nos olhos castanhos que o fitavam por trás das lentes dos óculos de tartaruga.

Ela disse que a vida dele mudaria muito pouco, à exceção da necessidade de uma disciplina mínima.

Ele passou a língua nos lábios secos.

Ela pediu para examiná-lo, pediu que ele se despisse, que subisse na balança, que se sentasse na mesa de consulta. Mediu sua pressão, auscultou o coração. Auscultou os pulmões. Pediu que ele se deitasse. Apertou sua barriga em diferentes locais. Dói?, perguntava. Não, ele respondia, como se desse a resposta certa, a resposta desejada. E de fato não doía. Que vitória.

Ela estudou as mãos dele, os pés.

Está ótimo, pode se vestir.

Ele se vestiu, obediente.

Os dois retornaram a suas posições iniciais, um de frente para o outro. Entre eles, a mesa sem supérfluos. A médica pegou o bloco que se achava à sua direita e escreveu o nome de Sérgio no alto do papel timbrado, nome e sobrenome, para não haver dúvida de que se tratava dele, o Sérgio marcado, e não outro. Escreveu "Sangue" e sublinhou a palavra, depois escreveu vários nomes de exames. Muitas siglas. Linhas e linhas de siglas. A certa altura, se deteve. Perguntou a si mesma: O que mais eu quero saber? Escreveu outros dois ou três nomes e, em outra linha, a palavra "Urina". Mais algumas siglas. "Fezes". Mais siglas.

Destacou o papel do bloco e encarou Sérgio com aquele mesmo princípio de sorriso reconfortante.

Nos vemos quando os resultados ficarem prontos.

Ele pegou o papel.

Ela continuava o encarando.

Vai ficar tudo bem, disse. Como se adivinhasse que o princípio de sorriso não fora o bastante.

INTERIOR, APARTAMENTO DE SÉRGIO, NOITE.

Sérgio está deitado no sofá da sala com o livro de Leonilson sobre o peito, ouvindo música baixa e fitando a parede branca, iluminada apenas pela fraca lâmpada de uma luminária. A campainha toca. Ele reluta em se levantar, mas se levanta afinal e se arrasta até a porta. Joyce surge trazendo uma travessa coberta.

JOYCE [*acendendo a luz central da sala*]: Precisa desse clima de enterro?

SÉRGIO: Não é providencial?

JOYCE: Providencial é o tapa que vou dar nesse rostinho lindo. [*Dá um beijo no rosto dele e deixa a travessa sobre a mesa.*]

SÉRGIO: Engraçado, estou constrangido, não sei por quê. [*Pausa*] O pior aconteceu, né?

JOYCE: O pior aconteceu *comigo*, que estou cheia de celulite. E a gente sabe que remédio pra isso ainda não inventaram.

[*Pausa*]

SÉRGIO [*em desalento, abrindo um sorriso forçado*]: Nem humor tenho mais.

JOYCE: Você sempre preferiu um drama.

SÉRGIO: Você também acha? O Antônio disse isso.

JOYCE: Você prefere o drama. Mas o humor te escolheu. É mais forte do que você.

[*Pausa*]

SÉRGIO: Estou sendo um idiota, eu sei.

JOYCE: Não, você está sendo humano. Está reagindo a uma má notícia. [*Leva a travessa para a cozinha, volta com uma garrafa de vinho e serve duas taças. Entrega uma a Sérgio, toca uma na outra.*] Saúde!

SÉRGIO: Fale por você.

JOYCE: Caralho, veado!

SÉRGIO: Aí estão duas palavras que se chamam. Que se retroalimentam.

JOYCE [*sorrindo*]: Não estou dizendo? [*Cruza a sala e abre a janela, sentindo a brisa.*] É uma sorte o verão ainda não ter chegado. [*Senta no sofá, deixa a taça de vinho sobre a mesinha de centro e pega no maço de cigarros um baseado, que acende fechando um pouco os olhos. Bate a mão no sofá como a pedir que Sérgio se sente a seu lado e lhe estende o baseado.*]

SÉRGIO [*Sentando-se ao lado dela, obediente, mas recusando o baseado*]: Tive umas bads.

JOYCE: A única bad que já tive com maconha foi não ter maconha. Mesmo nos momentos mais barra-pesada, fumar unzinho sempre me fez um bem danado. Mesmo na época da morte do meu pai, no término do relacionamento com o José. [*Pensativa*] No dia em que descobri que o amor não bastava. [*Tragando*] No dia em que me dei conta de que eu não era o que tinha sonhado na adolescência.

SÉRGIO: A gente sempre sonha alto na adolescência.

JOYCE [*soltando a fumaça*]: Eu só queria ser uma puta cara.

SÉRGIO: É um mercado difícil.

JOYCE: O que você queria ser?

SÉRGIO: Uma puta barata.

JOYCE: Você é uma pessoa realizada.

SÉRGIO [*Bebe um gole demorado do vinho, depois passa o dedo na borda da taça. Sem olhá-la nos olhos*]: Posso confessar uma coisa?

JOYCE: O amor incestuoso que você sente por mim?

SÉRGIO: Estou pensando em sair da agência.

JOYCE [*tentando esconder a surpresa*]: E viver de amor?

SÉRGIO: Seria temporário.

JOYCE: Mas pra fazer o quê? Pra ficar fechado aqui no lusco--fusco desse apartamento?

SÉRGIO: Seria temporário.

[*Pausa*]

JOYCE: Você já falou disso com o analista?

SÉRGIO: Analista? Você sabe que não faço análise.

JOYCE: Está na hora de começar.

[*Pausa demorada*]

SÉRGIO: Seria temporário.

JOYCE: Mas qual é o propósito? Tem de haver um propósito. Você vai viajar, vai voltar a pintar, vai fazer um curso, escrever um livro, montar uma ONG. Sair da agência não pode ser, em si, um plano.

SÉRGIO: Por enquanto, é.

JOYCE: Você já falou disso com quem?

SÉRGIO: Com meus fantasmas.

JOYCE: E seus amigos imaginários?

SÉRGIO: Me abandonaram.

JOYCE: Quero que você divida isso com mais gente, promete?

SÉRGIO: Não estou em condição.

JOYCE: Você não está em condição de tomar essa atitude. É sério, vai viver de quê?

SÉRGIO: De amor.

JOYCE: Anda mais em baixa do que nossa moeda.

SÉRGIO [*tomando um gole demorado de vinho*]: Estou cansado.

JOYCE: Você está cansado, eu estou cansada. A regra é seguir em frente, sinto muito.

SÉRGIO: Sempre gostei de fugir às regras.

JOYCE: Às regras corretas, infelizmente.

SÉRGIO: Você vai ser dura comigo?

JOYCE: Se for preciso. [*Apaga o baseado, deixa a ponta no cinzeiro.*] Você gosta do seu trabalho.

SÉRGIO: Já gostei.

JOYCE [*perdendo a paciência*]: Acho injusto isso.

SÉRGIO: Injusto?

JOYCE [*Levanta-se, vai até a janela*]: Você dividir essa informação comigo antes de ela ter se tornado um fato, sem me dar a chance de te convencer do contrário. Por que não esperou para me contar depois de ter tomado a atitude? Aí eu só poderia lamentar.

SÉRGIO: Desculpa.

JOYCE: Pensa um pouco, estou te pedindo.

SÉRGIO: É o que tenho feito.

JOYCE: Pensa mais, dá um tempo. Deixa a poeira baixar.

SÉRGIO: Está bem.

JOYCE [*surpresa*]: Está bem?

SÉRGIO: Está bem.

JOYCE [*Volta ao sofá, senta-se ao lado dele*]: Então está bem. [*Sorri, mas há um desconforto entre os dois que faz que ela não saiba o que dizer. Na falta de opção melhor*]: Vamos pedir comida?

SÉRGIO: Vamos.

JOYCE: A sobremesa eu trouxe, espero que esteja boa.

SÉRGIO: Eu sei, nem te agradeci.

JOYCE [*beijando o rosto dele, carinhosa*]: É sempre um prazer atender aos seus pedidos. Mas que vontade inusitada foi essa de torta alemã?

O resultado dos muitos exames solicitados pela Dra. Tereza foi antecedido por certa apreensão, mas em realidade não muita, porque em realidade Sérgio ainda não sabia que aquela primeira notícia quente sobre si mesmo não era uma notícia quente em si, uma notícia quente concluída. Era uma notícia quente em evolução.

E, por isso, na primeira vez em que levou o resultado dos muitos exames ao consultório, estranhamente aéreo e com apenas certa apreensão, Sérgio se permitiu mesmo ouvir o iPod que também tinha levado, música baixa, Chet Baker, enquanto jogava o jogo de tentar descobrir quais, dentre as pessoas que aguardavam na sala de espera, eram os pacientes da Dra. Tereza e portanto também seus irmãos de calvário.

Talvez porque andasse estranhamente aéreo (e ele sempre alegaria isso), Sérgio demorou algum tempo para, juntando inevitáveis dois mais dois, chegar afinal ao pensamento óbvio de que o infectologista não podia ser um médico que se ocupava exclusivamente de pacientes soropositivos. Foi preciso que ele corresse os olhos pela sala algumas vezes, em realidade muitas, para sentir o movimento da ficha caindo, Chet Baker com sua economia de notas, a televisão eternamente ligada naquele canal onde a apresentadora do programa de variedades seguia sendo uma apresentadora de programa de variedades, pontualmente entrevistando uma atleta que havia trazido uma medalha e alguma alegria para o país, o sol da manhã entrando pelas janelas e incendiando com sua claridade os nove ocupantes do recinto — três crianças, seis adultos —, afora a secretária, aquela desconfiança demorada se insinuando com intensidade cada vez mais forte, a ponto de obrigá-lo enfim a procurar no celular a definição da palavra "infecto-logista". E depois aquilo: ele se sentindo um tanto tolo.

Acontecia.

Não era raro.

Ele quase sorriu.

Mas durante algum tempo ainda, em todas as consultas e entregas de resultado de exames posteriores, ainda que a defini-ção da palavra "infectologista" estivesse clara e ainda que, antes disso, a própria exclusividade de um profissional para cuidar de uma doença específica fosse absurda, Sérgio investigaria os pa-cientes da sala de espera, buscando dentre eles aqueles que. E te-ria a impressão, fundada ou não, de que seus irmãos de calvário faziam o mesmo.

Quando a secretária chamou seu nome — Sérgio, ela disse, sala 1A —, ele desligou o iPod interrompendo a economia de no-tas de Chet Baker e avançou para a sala já conhecida com passos seguros, apenas certa apreensão bem disfarçada. Bateu duas ve-zes à porta antes de abri-la e foi recebido pelo princípio de sorriso reconfortante da médica.

— Como você está? — perguntou ela.

— Bem — mentiu ele, sentando-se.

Ela abriu o resultado dos exames sobre a mesa sem supér-fluos, murmurando satisfação com alguns números, calando-se diante de outros, depois explicou a ele que seu CD4 não estava terrivelmente baixo mas também não estava excelente. Ela acha-va, no entanto, ou tinha certeza (e ele sempre preferiria acreditar nessa certeza, embora pressentisse que tudo não passava de um grande jogo de adivinhação) que os números se elevariam. E por isso não havia necessidade de iniciar o medicamento. O que era um alívio. Por ora.

E, por ora, por ora bastava.

Mas, com o alívio momentâneo, acentuou-se também ali a realidade daquela apreensão que até então era apenas um bocado, quase fugidia, e que agora ganhava corpo e mostrava a instauração de seu caráter corriqueiro: o medo de os números caírem, de o medicamento vir a se fazer necessário e depois de iniciado deixar de ser eficaz, exigindo outro, o medo de seus efeitos indeléveis sobre o corpo. O medo depois da notícia quente. O medo depois do medo. A notícia quente que não acabava em si, que se prolongava reinventando-se numa sequência de atualizações.

— Nos vemos daqui a três meses — disse a Dra. Tereza.

Ele, um pouco surpreso:

— É só isso?

— É só isso.

Ela estendeu a mão, que ele apertou, obediente.

Ele se levantou, algo hesitante.

— Então até daqui a três meses.

Ela abriu o já conhecido princípio de sorriso reconfortante.

— Se alguma coisa acontecer, me procure.

INTERIOR, APARTAMENTO DE SÉRGIO, NOITE.
Sérgio está deitado no sofá da sala com o livro de Leonilson sobre o peito, ouvindo música baixa e fitando a parede branca, iluminada apenas pela fraca lâmpada de uma luminária. A campainha toca. Ele reluta em se levantar, mas se levanta afinal e se arrasta até a porta. Joyce surge tirando do maço de cigarros uma ponta de baseado.

JOYCE [*beijando-o*]: Tive um dia péssimo, já vou avisando.

SÉRGIO: O que aconteceu?

JOYCE: A produtora me tirando o couro. Depois discuti com a Amanda.

SÉRGIO: O de sempre então.

JOYCE [*desabando no sofá*]: Pra você ter uma ideia... [*Ela se detém para acender a ponta*]... não estou podendo nem com o cinismo nosso de cada dia.

SÉRGIO [*sentando-se ao lado dela*]: É o máximo que posso te oferecer.

JOYCE: E esse colo cheiroso?

SÉRGIO: Cinismo e colo.

JOYCE: Quando não estou precisando de um, estou sem dúvida precisando do outro. [*Deita a cabeça no colo dele, dá uma tragada profunda e solta a fumaça devagar*]

SÉRGIO [*indicando a ponta do baseado*]: Só tem esse?

JOYCE [*surpresa*]: Vai arriscar? [*Pega o maço de cigarros, tira dali um baseado inteiro*] Comigo, "só" é um advérbio que nunca ocupa a mesma frase que o substantivo "erva".

SÉRGIO [*sorrindo*]: Não posso agora ficar com medo de bad, né? Sou um homem ou sou um rato?

JOYCE: Você é um ratinho lindo, que eu amo. [*Fitando-o como se o visse pela primeira vez na noite*] Como você está? Novidades?

SÉRGIO: Alegria de soropositivo é não ter novidades.

JOYCE [*bufando*]: Adoro quando a gente embarca no melodrama mexicano.

SÉRGIO [*Acende o baseado que ela estende, dá duas tragadas*]: Qual foi a discussão com a Amanda?

JOYCE: Um melodrama mexicano de outra ordem: Amanda e os homens. Já cansei de falar para ela que ela está melhor sozinha.

SÉRGIO: O pior cego é aquele que não escuta.

JOYCE: Ela agora quer atrair o... [*ergue as mãos para simular aspas com os dedos*] "homem certo". Está usando óculos de grau embora não tenha problema de vista.

SÉRGIO: É o que eu chamo de over accessorizing.

JOYCE [*rindo*]: Quer dizer, sei lá.

SÉRGIO: É, sei lá.

[*Pausa*]

JOYCE: De repente, ela está certa.

SÉRGIO [*dando mais uma tragada*]: De repente.

JOYCE: De repente, ela pelo menos está sendo sincera em relação ao que quer.

SÉRGIO [*soltando a fumaça*]: De repente.

JOYCE [*meditativa*]: Alguém que te quer como a si mesmo, que precisa de você, imagina?

SÉRGIO: Claro, sou capaz de imaginar coisas terríveis.

JOYCE: "Você é minha, eu sou seu..."

SÉRGIO: Que sonho. Que pânico.

JOYCE: Alguém que queira te proteger.

SÉRGIO: Com gosto para o impossível então.

JOYCE [*como se despertasse de um transe*]: Acho que estou precisando de sexo.

SÉRGIO: Bater umazinha tem me bastando que é uma maravilha.

JOYCE: Jura?

SÉRGIO: Não. Tem coisa que eu digo só pelo efeito.

JOYCE [*se espreguiçando*]: Você é um sofista. [*Olha nos olhos dele*] Você mente?

SÉRGIO: Só pra sobreviver.

JOYCE [*ainda olhando nos olhos dele*]: Você mente?

SÉRGIO: Só no desnecessário. [*Dá uma última tragada e deixa o baseado no cinzeiro*] Até pra bater umazinha, é preciso libido. Ando em falta.

JOYCE: Mas dizem que faz bem. Você devia fazer força, cavar inspiração. Tem tanto homem lindo por aí pedindo para ser imaginado nu. [*Como quem inicia uma brincadeira*] Quem seria?

SÉRGIO: Um homem lindo? Fica fácil.

JOYCE [*sorrindo*]: Uma mulher linda. Uma mulher que você gostaria muito de ver nua se fosse hétero.

SÉRGIO: Bette Davies.

JOYCE [*Sorri, dá um beijo no rosto dele e se levanta. Aumenta o volume do aparelho de som e vai até a janela*]: É uma sorte o verão ainda não ter chegado.

SÉRGIO: É. [*Pega no cinzeiro o baseado, que acende novamente*] Disseram que essa noite chove.

JOYCE: Disseram?

SÉRGIO: Li em algum lugar.

JOYCE: Adoro chuva.

SÉRGIO: Sei.

JOYCE: Quando estou em casa.

SÉRGIO [*Levanta, vai até a janela*]: Não parece que vai chover.

JOYCE: Não. [*Fitando o muro de janelas do outro lado da rua*] Sempre acho que meu príncipe está num prédio vizinho.

SÉRGIO: Você vê filmes demais.

JOYCE: Demais.

SÉRGIO: E acredita neles.

JOYCE: Sobretudo nos inverossímeis.

SÉRGIO: Não existem prédios vizinhos.

JOYCE [*Sorri. Volta os olhos para uma janela que se acende no muro de janelas*]: A vida dos outros.

SÉRGIO: Essa insignificância.

JOYCE [*animando-se*]: Torçamos por um corpo nu.

SÉRGIO: Ou um suicídio.

JOYCE: Você está precisando de sexo.

SÉRGIO: Ou de uma corda.

JOYCE: E eu que achei que a gente tinha deixado o México.

SÉRGIO: Não existe saída do México.

JOYCE [*voltando os olhos para ele*]: Isso é uma bad?

SÉRGIO: É a realidade.

JOYCE [*preocupada*]: Isso é uma bad?

SÉRGIO: Não. Tem coisa que eu digo só pelo efeito.

JOYCE [*sorrindo*]: Você é um sofista.

SÉRGIO: Mas não sugere, que sou sugestionável.

JOYCE [*voltando os olhos para a janela recém-acesa no muro de janelas*]: Torçamos por uma festa.

SÉRGIO: Ou um tiro.

JOYCE: Você vê filmes demais.

SÉRGIO: Demais. E acredito neles.

JOYCE [*os olhos fixos na janela recém-acesa, onde nada acontece*]: Nada acontece.

SÉRGIO: O jardim do lado é sempre mais verde.

JOYCE [*meditativa, os olhos fixos na janela*]: Seria bom uma festa.

SÉRGIO: Uma festa alheia?

JOYCE: Uma festa alheia bastaria.

SÉRGIO: Um tiro alheio bastaria.

JOYCE: Um tiro catártico.

SÉRGIO: Vamos ver um filme!

JOYCE [*os olhos fixos na janela recém-acesa, onde aparece uma mulher*]: Apareceu uma mulher!

SÉRGIO: Sem arma. Sozinha. Acho que não vai rolar festa. Nem tiro.

[*Pausa*]

JOYCE [*voltando os olhos para ele*]: Você está obcecado com a ideia de morte.

SÉRGIO: Não, a morte está obcecada com a ideia de mim.

JOYCE [*séria*]: Você sabe que isso não é verdade.

SÉRGIO [*sério*]: Sei.

JOYCE [*séria*]: Você sabe que está sendo ridículo.

SÉRGIO [*sério*]: Sei.

JOYCE: Você sabe que não está doente. Que tem um vírus para o qual existe remédio. Sabe que não vai morrer disso.

SÉRGIO: Sei. [*Dá uma última tragada antes de apagar o baseado no peitoril da janela*] Na verdade, meu ego é tão grande que acho que não vou morrer de nada. [*Pausa*] Mas isso é uma parte.

JOYCE [*os olhos fixos nele*]: E qual é a outra parte?

SÉRGIO: A outra parte é o drama.

[*Pausa*]

JOYCE [*girando a palma da mão para cima, o braço estendido*]: Tá sentindo?

SÉRGIO [*Estende o braço à frente*]: Fininha.

JOYCE [*animando-se*]: Adoro chuva.

SÉRGIO: Sei.

JOYCE: Quando estou em casa.

SÉRGIO: Você podia estar em casa.

[*Pausa*]

JOYCE [*magoada*]: Quer ficar sozinho?

SÉRGIO: Não, o que eu quero dizer. [*Pausa*] Você podia estar em casa. Aqui. Essa podia ser sua casa.

JOYCE: Já tivemos essa conversa. Você não gosta de dividir apartamento.

SÉRGIO: Não gostava. Nem sei.

JOYCE: Seria pela minha bela companhia ou pra dividir as contas?

SÉRGIO: Pela sua bela companhia, sempre! E pra dividir as contas. [*Pausa*] Vou precisar.

JOYCE [*virando-se para ele*]: Sérgio.

SÉRGIO [*girando a palma da mão para cima, o braço ainda estendido*]: Tão fininha...

JOYCE: Sérgio.

SÉRGIO [os olhos fixos à frente, evitando-a]: Pedi demissão.

[Pausa]

JOYCE [buscando as palavras]: Mas você. Você. Tinha que ter pensado melhor. Tinha que ter falado com alguém. [Pausa] Isso não está certo.

SÉRGIO [calmo]: Não. Mas também não me pareceu errado.

JOYCE: Quando foi?

SÉRGIO: Hoje.

JOYCE: Ainda dá tempo de voltar atrás. O pessoal da agência...

SÉRGIO: Não quero voltar atrás.

JOYCE: Sérgio, isso não está certo.

SÉRGIO [os olhos vidrados à frente]: Não. Mas também não me parece errado.

JOYCE: Você falou com alguém? Com seu irmão?

SÉRGIO: Ainda não.

JOYCE [em desalento]: Não entendo.

SÉRGIO [os olhos vidrados à frente]: Vai ser temporário.

JOYCE [num murmúrio]: Não entendo.

SÉRGIO [os olhos vidrados à frente]: Tem coisa que não é pra entender.

JOYCE [num murmúrio]: Sinceramente.

SÉRGIO [os olhos vidrados à frente]: É como tem que ser. Agora.

JOYCE [num murmúrio]: Você. Não sei. Está precisando de ajuda.

INTERIOR, CONSULTÓRIO DA ANALISTA, TARDE.

A sala tem tamanho médio, uma mesa com duas cadeiras, uma a cada lado da mesa, num canto. No outro canto, um sofá bege, uma poltrona cor de terra, uma minúscula mesinha de centro com dois objetos neutros de decoração. A analista está sentada na poltrona, caderno nas mãos, pernas cruzadas. Óculos de moldura preta, batom rosa, cabelo inusitadamente moderno, num tom que é uma continuação da cor da poltrona. Uma gradação dela.

Sérgio está sentado no sofá, mãos juntas sobre o colo, postura de quem acabou de chegar ou está prestes a sair. Nervoso? Ele diria que sim. Quem o visse diria que sim. Ele está nervoso e se sente quase irritado consigo mesmo por isso. O pior já foi, ele pensa, procurando se acalmar.

A analista o observa.

Ele observa a mesa no canto oposto da sala: o porta-retratos virado para o outro lado, cuja fotografia ele gostaria de ver; o porta-canetas de metal, com mais canetas do que seria possível alguém gastar num ano; o livro de capa dura cuja lombada ele, infelizmente, não consegue ler; a caixa de lenços de papel, indiscreta e risível. Observa as paredes: a gigantesca rosa pintada à esquerda, em tons pastel; o relógio que grita a passagem cara do tempo, à direita.

Com tato, a analista inicia o que se poderia chamar de sessão, com a mesma pergunta da infectologista:

— Então, Sérgio, o que te traz aqui?

A voz na altura certa, menos agradável do que ele gostaria. Certa estridência latente.

Eu não gostaria de ter uma discussão com ela, ele pensa.

Preciso responder à pergunta, ele pensa. Mas a gigantesca rosa na parede e os objetos do consultório brigam por sua atenção.

Ele procura se concentrar: o que me trouxe aqui, o que me trouxe aqui.

Ele começa pelo fim:

— Faz um mês, ou dois, descobri que sou soropositivo.

A analista não reage, apenas o observa. Ele poderia ter dito "Faz um mês, ou dois, matei minha mãe", "Faz um mês, ou dois, descobri que tenho um dispositivo implantado no cérebro", "Faz um mês, ou dois, perdi a virgindade com um macaco-prego".

A analista apenas o observa com seu olhar profissional, treinado para não reagir. Ou talvez simplesmente lhe falte bojo para reagir depois de já ter ouvido sobre assassinatos de mãe, dispositivos implantados no cérebro e virgindades perdidas com macacos-prego.

Sem reação, ela o observa.

Ele observa a mesa no canto oposto da sala: o porta-retratos, o porta-canetas.

O silêncio se instaura feito água vencendo ineficazes barreiras de papelão, para tomar conta da sala.

— Você já procurou um médico? — pergunta a analista, num tom tão neutro quanto os objetos de decoração que se acham sobre a mesinha de centro.

— Já, uma infectologista ótima.

Pausa.

A água enchendo a sala.

Sérgio sentindo o pânico do afogamento.

A analista, em seu tom neutro:

— Começou a medicação?

— Não. Ainda não é preciso.

Esse "ainda" provocando reverberações na sala, ondulações na água. O silêncio, insistente.

A analista o observando.

Ele observando a mesa no canto oposto da sala: o livro de capa dura, a caixa de lenços.

A analista voltando à carga, o tom neutro, a voz menos agradável do que ele gostaria:

— Você sabe que não é o fim do mundo.

Ele demorando para dar a resposta:

— Sei.

Ondulações na água.

Ele, indiscreto e risível, caindo no choro.

[**A cena que não houve.**]

:

Não, ele não procurou analista.

Não, ele sabia que não era o fim do mundo.

Não, ele não sabia.

Não era o fim do mundo, mas por um tempo pareceu que sim.

Ele não sabia por quê.

Nesse tempo, em que parecia que sim, era extremamente doloroso a cada três meses sentar na sala de espera com aqueles desconhecidos entre os quais ele buscava seus irmãos de calvário, fazendo o que se faz em salas de espera de todo o mundo, com maior ou menor disposição: esperar. Ouvindo ou não o iPod, folheando ou não as gastas revistas de celebridades, ajustando ou não os olhos às cores da apresentadora do programa de variedades, ele esperava às vezes meia hora, às vezes uma hora inteira, o tempo se consumindo lenta e inutilmente. Eu não precisava estar aqui, ele pensava.

Culpa? Talvez, uma culpa para consigo mesmo.

Eu não precisava estar aqui. Martelando, o pensamento lhe acometia sempre que mais uma vez ele buscava uma música no iPod, sempre que mais uma vez pegava uma revista de celebridades ou voltava os olhos para a televisão, inútil e lentamente, até que, num gesto de aparente misericórdia, a secretária intervinha com o anúncio aguardado: Sérgio, ela dizia, sala 1A.

Nesse tempo, em que parecia que sim, era extremamente doloroso entrar na sala da infectologista e fitar o arquivo cinza por trás da mesa sem supérfluos, imaginando quantos irmãos de calvário tinham seu nome ali, os resultados dos exames de sangue melhores ou piores, mas nunca suficientemente bons depois daquela notícia quente que ali não era notícia quente alguma. Então tirar a roupa e se expor aos olhos investigativos da médica, o estetoscópio, as mãos hábeis dela procurando indícios de fragilidade nas costas, entre os dedos das mãos e dos pés, em rápidas compressões de diferentes partes da barriga. Dói? Não, não doía. Língua para fora, a garganta apenas levemente inchada, mas a própria busca implacável de indícios autenticando a fragilidade — em realidade, a própria necessidade de avaliação médica naquele intervalo curto de tempo (a cada três meses) autenticando-a, mesmo quando ela não se via. Um lembrete dela.

Eu não precisava estar aqui, ele pensava, obstinado e infantil, no laboratório, enquanto conjugava o verbo "esperar" agora em outra sala, relutantemente sentado na cadeira de plástico, senha na mão, o estômago vazio depois de doze horas de jejum. Eu não precisava estar aqui, enquanto a funcionária digitava o longuíssimo pedido dos exames e lhe pedia que aguardasse um pouco mais. E o que era aguardar um pouco mais quando ele só fazia aguardar?

Não, eu não precisava estar aqui, obstinado e infantil, ao estender o copinho de urina à profissional vestida de branco na baia apertada e asséptica, depois estender o braço nu sobre o suporte de aço, fechar a mão e esperar a agulhada, uma única agulha, mas diversos frascos acoplados a ela, um após o outro, o longuíssimo pedido de exames exigindo muito sangue, em diferentes recipientes. Depois a voz calma da profissional de branco: Abre a mão. E ele abria. Algodão, minúsculo curativo adesivo. Mantenha o braço dobrado por alguns minutos. E ele obedecia só até sair daquela baia apertada e asséptica, quando então esticava o braço, num ato talvez inconsciente de tola desobediência.

Depois aquilo: uma espera de outra natureza, velada, em casa. Sem senha, sem o desconforto de desconhecidos compartilhando o espaço, sem a impessoalidade que impunha a presença de revistas de celebridades e televisão eternamente ligada num programa de variedades.

Nesse tempo em que parecia que sim, que era o fim do mundo, depois de ter pedido demissão da agência, onde as horas mortas lhe pareciam apenas um desperdício, Sérgio esperava sua espera sem senha num simulacro de rotina brotado meramente a partir de impulsos:

Pela manhã, demorava-se na cama dormindo tudo que o corpo exigia e às vezes mais, muitas vezes mais.

Na hora do almoço, tendo recuperado o gosto por cozinhar, debruçava-se no aprendizado de pratos que inventava colhendo ideias soltas na internet, autodidata.

À tarde, lia ficção. Literatura brasileira, sobretudo. Mas apenas sobretudo. Muitos livros, um após o outro. Devorando-os sem pressa. Entregando-se a eles. Respeitando o tempo de cada um e também a necessidade ou simples vontade de pausa, quando ela se apresentava. Nesses momentos esporádicos, ligava o aparelho de som e ouvia música baixa fitando a parede branca, ou não ligava o aparelho de som e apenas fitava a parede branca, pensando. Ou nem isso: procurava se abstrair dos pensamentos. A busca do muro branco na parede branca.

À noite, via filmes. Produções europeias, sobretudo. Mas apenas sobretudo. Muitos filmes, um após o outro após o outro, até que lhe restasse apenas um zumbido na cabeça e alguma secura nos olhos, que o impeliam à cama para seu sono de pedra.

Nesse tempo em que parecia que sim, qualquer coisa que não fosse dormir, cozinhar, ler, ouvir música e ver filmes enquanto esperava sua espera sem senha parecia a Sérgio apenas um desperdício, e ele sentia preguiça.

Mas, por paradoxal que fosse, nesse tempo em que parecia que sim, que era o fim do mundo, como previra a médica, os números dos exames melhoraram gradualmente.

INTERIOR, BOATE, MADRUGADA.

É uma da manhã quando Sérgio entra no local um tanto cheio, mais cheio do que ele gostaria, certa dificuldade em chegar ao balcão, onde ele se debruça para pedir a bebida, nesse primeiro momento ainda sem se preocupar em investigar a clientela, ele o recém-chegado, a novidade, o possível foco de atenção.

Está ligeiramente embriagado, tendo tomado algumas doses de vodca ainda em casa, enquanto se arrumava de frente para o espelho, mas apenas por hábito. De antemão, já sabia a calça que usaria, a camisa que usaria. Os sapatos. De antemão, a cueca e as meias, o perfume que passaria, uma borrifada a cada lado do pescoço, uma borrifada sobre a camisa, a certa distância: o perfume mais forte, para saídas noturnas, essas que pedem ou possibilitam perfumes fortes.

Recebe o drinque feito pelo barman de cabelo anacronicamente comprido, preso num rabo de cavalo que nele cai bem, e, ainda sem olhar para os lados preocupado em investigar a clientela, retira-se do balcão com propósito, como se tivesse o objetivo claro de chegar a algum lugar específico daquela pista de dança que é toda ela a mesma massa informe de movimento, um borrão de camisas coloridas e braços tatuados. Equilibrando o drinque com êxito, mais por sorte do que por eficiência, avança até o local onde vê ou pressente se abrir um espaço conveniente: o metro por metro onde ele poderá tomar seu drinque vermelho e se permitir entrar no clima.

Essa noite eu me sinto perigoso, ele pensa, ecoando o diálogo de um filme que fez parte de sua formação. E sorri para si mesmo.

Alguém retribui o sorriso, ele nota.

Mas finge que não nota.

Essa noite ele não quer ser caçado.

Quer caçar.

Três longos goles no drinque vermelho, certo calor que parece brotar do teto, a música um tanto alta, mais alta do que ele gostaria — quase um desconforto, mas não tanto. O limite do desconforto, que pode passar por prazer.

Eu queria que estivesse tocando *I Follow Rivers*, ele pensa, evocando a cena de um filme posterior, quando sua formação já estava feita.

Mas toca um pop antigo que lhe dá apenas alguma preguiça e que ele dança simplesmente para acompanhar o movimento da pista, uma dança vinda de fora.

Ou então house, ele pensa. Podia estar tocando house.

Mas aí a boate seria outra.

A cena seria outra.

Ele olha para o lado: um casal muito jovem dança hipnotizado, os olhos de um cravados na boca do outro. A mão direita de um tocando o cabelo castanho do outro.

Três longos goles no drinque vermelho, ele olha para o outro lado: um rapaz de seus trinta e poucos anos dança aquela mesma dança vinda de fora, garrafa de água mineral na mão, camisa polo, certa inadequação aparentemente congênita, o que provoca em Sérgio algo próximo da comiseração, ou empatia.

Três longos goles no drinque vermelho, o calor que sem dúvida lhe parece vir do teto baixo envolvendo-o junto aos outros corpos como se todos fizessem parte de uma única substância viscosa.

Alguém passa por ele, olhando-o sem sutileza.

Eu gosto de sutileza, ele pensa, dando mais três longos goles no drinque vermelho, que agora se resume à casca amassada de algumas frutas ambíguas no fundo do copo.

Ao pop antigo segue-se outro, o que faz algumas pessoas comemorarem soltando exclamações e erguendo os braços, como se a música fosse inusitada ali.

Não é.

Toda noite, toca a música. Toda noite, há comemoração.

Ligeiramente embriagado, ou talvez um pouco mais do que isso, Sérgio se dirige ao balcão, sobre o qual se debruça novamente para pedir a mesma bebida, agora ao barman de cabeça raspada que na boate é só mais um homem de cabeça raspada. Um homem de seu tempo.

Três longos goles no drinque vermelho.

Faz calor, ele sente. Mas o álcool já o transportou para aquele estado onde o calor não importa, onde o excesso de gente não importa, onde o que importa é a manutenção do estado.

Mais do que apenas ligeiramente embriagado, ele avista um rapaz de seus vinte e poucos anos dançando sozinho, de olhos fechados, perto de uma pilastra escura que, na boate escura, quase não se vê.

O rapaz dança uma dança que vem de dentro.

Tem uma cicatriz no lado esquerdo do rosto, o que lhe dá certo ar trágico.

Tem um copo vazio na mão, que parece se manter preso a ela por mágica. Ele, alheio ao mundo exterior. Um animal dedicado apenas a ser o animal que é, abstraído da floresta. A caça perfeita.

Sérgio dá três longos goles no drinque vermelho já no clima da noite, o clima alcançado na marra, com método, a música alta agora longe da possibilidade de ser um desconforto — entre ela e o silêncio, um zumbido bem-vindo que a amortece.

Sérgio começa a dançar uma dança que vem de dentro.

Com calma.

Com jeito.

Mas jamais tão bem quanto o rapaz da cicatriz, porque Sérgio dança sua dança que vem de dentro dividindo-se entre ela e a atenção no rapaz. Enquanto o rapaz só dança.

Três longos goles no drinque vermelho.

A manutenção do estado.

Sérgio se dirige à pilastra escura que quase não se vê e, com calma e com jeito, esbarra de leve no rapaz, que por sua vez, imerso em sua dança que vem de dentro, não nota.

Sérgio sente uma fagulha se acender. Mais uma.

Três longos goles no drinque vermelho.

A noite se cumprindo, com calma e com jeito.

A espera que faz parte da caça.

Ao pop antigo segue-se outro, mas essa descontinuidade faz o rapaz despertar do transe de sua dança que vem de dentro.

Sérgio é bom caçador. Não começou ontem. Sabe que, depois de despertar do transe da dança que vem de dentro, o rapaz correrá os olhos pela pista, avaliando-a, e por isso mostra-se distraído, deixa-se ver e ser avaliado. Então, com calma e com jeito, estende os olhos na direção do rapaz, mas não de maneira ostensiva.

Com sutileza.

O contato visual dura alguns segundos, ao fim dos quais Sérgio abre um sorriso de canto de boca que é uma confirmação para si mesmo. E para o rapaz.

O rapaz retribui o sorriso.

Três longos goles no drinque vermelho.

A dança que vem de dentro reinventando-se, agora em justa sintonia: Sérgio dividido entre a dança e a atenção no rapaz; o rapaz dividido entre a dança e a atenção em Sérgio.

O pop antigo: a trilha sonora imperfeita.

Sérgio diz alguma coisa no ouvido do rapaz. Qualquer coisa. Porque agora o conteúdo não importa. Dizer alguma coisa no ouvido do rapaz é apenas um procedimento para que a noite siga se cumprindo.

O rapaz sorri e retribui o gesto, a boca próxima ao ouvido.

Sérgio roça de leve o rosto no rosto do rapaz, provocando o início do fogo que avança num rastilho invisível e explode no beijo. Mas não um beijo ofegante e voraz. Um beijo calmo.

Um beijo que apenas aos poucos vai se tornando ofegante e voraz. Com jeito.

O rapaz deixa o copo vazio na aba da pilastra que não se vê. Sérgio oferece sua bebida, estende o canudo na direção da boca do rapaz. Mas o drinque vermelho agora se resume à casca amassada de algumas frutas ambíguas, e os dois riem. Decidido, Sérgio segura a mão do rapaz, puxa-o na direção do balcão. Você bebe o quê?, pergunta junto a seu ouvido.

Estou bem, responde o rapaz junto ao ouvido dele.

Sérgio se debruça sobre o balcão. Está sem dúvida mais do que apenas ligeiramente embriagado, o próprio gesto de se debruçar sobre o balcão lhe parece uma aventura. A pessoa prudente pediria água. Sérgio pede seu drinque vermelho. E enquanto espera o barman de cabeça raspada preparar a bebida volta-se para o rapaz, a mão ainda na mão dele. Qual é seu nome?, pergunta.

O rapaz responde, olhando nos olhos dele, mas o zumbido que antes era um amortecedor bem-vindo é agora um obstáculo intransponível.

O rapaz diz mais alguma coisa que Sérgio não entende.

Na dúvida, Sérgio sorri.

O rapaz cola a boca no ouvido dele e diz: Eu perguntei qual é seu nome.

Sérgio, diz Sérgio.

O rapaz sorri.

Sérgio passa a mão no rosto do rapaz: o maxilar, o queixo, a boca, a cicatriz.

O rapaz desvia os olhos.

Sérgio passa a mão no corpo do rapaz: o braço, a cintura, as costas.

O drinque vermelho surge de onde?

Sérgio diz Obrigado.

Decidido, segura a mão do rapaz, puxa-o para a pista. E de repente toca *I Follow Rivers*.

Parece um filme, pensa Sérgio.

Um filme que remete a outro, ele pensa enquanto dança sua dança que vem de dentro, o copo preso à mão como por mágica, alheio a tudo — o rapaz, uma extensão da dança.

Acho que você já bebeu demais, diz o rapaz.

Já, responde Sérgio.

O rapaz sorri.

Sérgio olha nos olhos dele e abandona o drinque vermelho quase intocado na aba da pilastra que não se vê. Uma prova de amor, pensa sorrindo.

O rapaz passa a mão no rosto de Sérgio: o maxilar, o queixo, a boca.

Sérgio fecha os olhos.

O rapaz passa a mão no corpo de Sérgio: o braço, a cintura, as costas.

O beijo que começa em *I Follow Rivers* dura as músicas de uma década, a língua de Sérgio experimentando variações na boca do rapaz, a língua do rapaz experimentando variações na boca de Sérgio — a coreografia improvisada que resulta da dança interna de ambos, apenas o progresso da noite que se cumpre.

Com calma.

Vamos sair daqui, propõe o rapaz no ouvido de Sérgio.

Vamos, ecoa Sérgio no ouvido do rapaz.

Decidido, Sérgio segura a mão do rapaz, puxa-o em direção à porta. Mas o rapaz precisa usar o banheiro.

Não demoro, diz com um beijo de despedida.

Como se fossem amantes.

Como se fosse uma promessa de retorno.

Sérgio aguarda.

Encosta-se na pilastra que não se vê.

Consulta o relógio, apenas por hábito: 5h14. E sente um cansaço que vem de anos.

Volta os olhos para o balcão, onde o barman de cabeça raspada prepara mais um drinque, agitando a coqueteleira de aço inoxidável. Volta os olhos para a pista, onde o rapaz de seus trinta e poucos anos e camisa polo ainda segura uma garrafa de água mineral, obstinado em sua inadequação congênita. Volta os olhos para o espelho junto à porta, onde a sujeira e a penumbra lhe permitem enxergar apenas a ideia que ele faz de si mesmo, identificando-se ali pela fé.

Esfrega os olhos.

Passa as mãos nos braços.

Quando avista o rapaz saindo do banheiro, por um instante deseja se fundir à pilastra que não se vê, deixá-lo passar. Mas um resto de desejo intervém, ou talvez seja o álcool, que para ele é um afrodisíaco que exige efetuação.

Estende o braço.

O rapaz o avista e sorri.

Demorei?, pergunta com um beijo de reencontro.

Como se fossem amantes.

Sérgio beija a boca do rapaz, beija a cicatriz, como se fossem amantes. Como se tivessem uma história.

Como se ele se importasse.

Passa o polegar na cicatriz enquanto a estuda como um gemologista avaliando a pedra encontrada.

O rapaz desvia os olhos, mas diz: Você quer saber como aconteceu, a pergunta inevitável.

Sérgio não confirma. Tem pela cicatriz apenas a curiosidade de entender sua forma, uma curiosidade estética — o ar trágico que sua geometria confere.

O rapaz o encara e diz: Foi o pior dia da minha vida.

E as palavras soltas nessa hora avançada da madrugada têm sobre Sérgio o efeito instantâneo de desintegrá-lo.

Ele interrompe o gesto de desnudar a cicatriz com o polegar, recolhe a mão, que o rapaz segura em plena queda, levando-a à boca para beijá-la, carinhoso, como se fossem amantes.

Sérgio olha a cicatriz agora sem a curiosidade estética, um olhar anterior.

De dentro.

O rapaz diz: Foi um acidente.

E Sérgio beija a boca dele, fundido à pilastra que não se vê.

"**O corte.** É a passagem direta de uma cena para outra. É o efeito mais corrente, usado e eficaz." (COMPARATO, D. Da criação ao roteiro. 5. ed. rev. e atual. São Paulo: Summus, 2018, p. 309)

INTERIOR, APARTAMENTO DE SÉRGIO, COMEÇO DE TARDE. *Joyce está sentada no chão da sala, de frente para o aquário, imenso para apenas os dois peixes que nadam ali dentro, um pouco de areia colorida no fundo. Usa uma camiseta branca grande que lhe bate na altura da coxa, um coque frouxo que parece manter o cabelo preso pela simples vontade. Sérgio surge do corredor, camiseta branca e cueca samba-canção.*

SÉRGIO [*bocejando*]: Bom dia.

JOYCE [*sem se virar para ele, ainda contemplando os peixes no aquário*]: Boa tarde.

SÉRGIO: Boa noite.

JOYCE [*virando-se afinal para ele*]: O que é isso, estamos numa peça do Ionesco?

SÉRGIO: Num filme do Jim Carrey.

JOYCE: Você já foi mais sofisticado.

SÉRGIO: Num tempo em que precisava provar alguma coisa pro mundo.

JOYCE: Provou?

SÉRGIO: Deixei de precisar.

JOYCE [*voltando o olhar para o aquário*]: Você acordou profundo.

SÉRGIO: Ainda nem acordei.

JOYCE: A noitada foi boa.

SÉRGIO: Hum.

JOYCE [*animando-se*]: E você comprou isso. [*Passa de leve a unha pintada de preto no aquário.*] E isso. [*Indica o embrulho grande que se acha contra a parede.*]

SÉRGIO [*deitando-se no sofá*]: Você ainda não viu meu quarto.

JOYCE: Cortinas novas?

SÉRGIO: Uma imagem de Nossa Senhora.

JOYCE [*sorrindo*]: Cortinas novas.

SÉRGIO [*ligando a televisão*]: Beges. Não pense que não sou capaz de surpresas.

JOYCE: Tudo isso foi a falta que você sentiu de mim?

SÉRGIO: Nunca mais me deixe sozinho.

JOYCE: Nunca mais, prometo.

SÉRGIO: Agora que você veio morar aqui...

JOYCE: Nunca mais.

SÉRGIO: Eu me senti abandonado, num ponto de ônibus, sem dinheiro pra passagem.

JOYCE: Prometo.

SÉRGIO [*zapeando a televisão muda*]: Na próxima vez que você for visitar sua mãe...

JOYCE: Você vai junto.

SÉRGIO: Eu vou junto.

JOYCE: Prometo.

SÉRGIO [*detendo-se por um instante num canal e avançando para o seguinte*]: Como ela está?

JOYCE: Melhor do que nós, juntos.

SÉRGIO: A morte do seu tio...

JOYCE: Um incômodo. [*Dirige-se ao sofá onde Sérgio está deitado, levanta as pernas dele, acomoda-as em seu colo.*] O remedinho é poderoso.

SÉRGIO: Pegou o nome?

JOYCE: E a receita.

SÉRGIO [*sorrindo*]: E tem quem não goste de antidepressivos.

JOYCE: Tem quem não goste do Pinter.

SÉRGIO: Esse mundo desarvorado.

JOYCE: O inferno da democracia. [Pausa] Ela mandou beijo.

SÉRGIO [detendo-se por um instante num canal e avançando para o seguinte]: Gosto muito da sua mãe.

JOYCE: Ela é ótima. [Pausa] Mas sabe que uma parte minha preferia quando ela escorregava na depressão? Não sei, agora ela não consegue se concentrar em nada, recebe a notícia de que o irmão morreu, quinze minutos depois está perguntando se já trocaram o filtro do purificador de água.

SÉRGIO: Um revés.

JOYCE: Acabou que quem ficou triste fui eu.

SÉRGIO: A morte do seu tio?

JOYCE: Um incômodo, eu mal o conhecia. Embora enterro seja sempre difícil.

SÉRGIO: Enterro é a morte.

JOYCE [abrindo um sorriso, mas um sorriso que é apenas simulacro]: Fico sempre pensando no próximo. Fico pensando em quantos, sabe. Antes de chegar o meu.

SÉRGIO [Passa a mão no cabelo dela, desmanchando um pouco o coque que, de algum modo, se mantém]: Você ficou mal.

JOYCE: Não, mas nem foi isso. Já fui preparada para o enterro, a gente cria casca.

SÉRGIO: Aquela casca até a página dois.

JOYCE: Aquela casca até a página dois. Mas me segurei.

SÉRGIO: Então o que te deixou mal?

JOYCE: A despedida. [Pausa] Não sei, minha mãe disse "Tchau, filha", eu disse "Tchau, mãe", achei isso de uma tristeza! Voltei chorando no ônibus. Eu que não choro.

SÉRGIO: A não ser em filme merda.

JOYCE: A não ser em filme merda. [Pausa] Voltei chorando, devo ter parecido louca para o gostoso que estava sentado do meu lado.

SÉRGIO: Tinha um gostoso sentado do seu lado?

JOYCE: Tinha. E pensei em você. Porque foi você que me ensinou a olhar os homens. E aí aquilo: já estava embalada, chorei mais.

SÉRGIO [*Passa a mão no cabelo dela, desmanchando de vez o coque já desmanchado; arrisca um sorriso que é aquela tentativa de incentivo para a pessoa que está no buraco, uma corda*]: Não é TPM, baby?

JOYCE: Eu adoraria botar a culpa nela. [*Ajeita o cabelo, abre um sorriso que é apenas simulacro, mas um sorriso com vontade de mais, como quem segura a corda.*] Vamos falar de coisa boa.

SÉRGIO: Tupperware.

JOYCE: Suas compras. [*Indicando o embrulho grande que se acha contra a parede*] O que é isso?

SÉRGIO: São telas.

JOYCE [*surpresa*]: Você vai voltar a pintar?!

SÉRGIO: E tinta.

JOYCE: Meu Deus, meu Matisse!

SÉRGIO: Foi impulso, na certa vai tudo só ficar acumulando poeira aí.

JOYCE: Não acredito em impulso.

SÉRGIO: Não acredito em volta.

JOYCE: Não acredito, você vai voltar a pintar!

SÉRGIO [*detendo-se por um instante num canal e avançando para o seguinte*]: É sério, não sei. Pra começar, comprei tinta a óleo.

JOYCE: O que isso quer dizer?

SÉRGIO: Não é minha praia, estou acostumado com acrílica.

JOYCE: E a diferença, meu amor, para a pessoa que além de leiga é lenta, sobretudo num começo de tarde dominical?

SÉRGIO: A tinta a óleo possibilita uma gama maior de tonalidades, mas precisa de tempo para secar.

JOYCE: E tempo é coisa que não te falta.

SÉRGIO [*concentrado no que diz, quase como se a ignorasse*]: A acrílica exige alguma definição prévia em relação ao resultado.

JOYCE: E definição é coisa que te falta. Você comprou a tinta certa.

SÉRGIO [*espreguiçando-se, passando a mão na testa, quase como se a ignorasse*]: Ressaca da porra.

JOYCE: Vodca?

SÉRGIO: Muita.

JOYCE: Homens?

SÉRGIO: Um.

JOYCE [*meditativa*]: Uma quantidade adequada de ambos.

SÉRGIO: O negócio [*detendo-se por um instante num canal e avançando para o seguinte*] é que já tive ressacas mais fáceis.

JOYCE: Algumas coisas pioram com o tempo.

SÉRGIO: Algumas coisas melhoram com o tempo?

JOYCE [*espreguiçando-se, passando a mão na testa dele, quase como se o ignorasse*]: Estou com fome, você?

SÉRGIO: Nem isso.

JOYCE: Seria bom comer.

SÉRGIO: Só dor de cabeça.

JOYCE: Mexicana, chinesa.

SÉRGIO: E vontade de dormir.

JOYCE: Italiana.

SÉRGIO: Mas nem isso. [*Volta os olhos para ela*] A vida não está fácil.

JOYCE: Puxa, amor. [*Recolhe a mão, faz menção de se levantar, quase como se o ignorasse*] Vou pedir brasileira daquele boteco da esquina.

SÉRGIO [*detendo-a*]: Não me deixa sozinho.

JOYCE: Nunca.

SÉRGIO: Promete?

JOYCE: Nem preciso prometer.

SÉRGIO: Mesmo na situação mais extrema?

JOYCE: Principalmente na situação mais extrema.

SÉRGIO: Quando a bomba explodir.

JOYCE: Te levo pro meu abrigo.

SÉRGIO: Quando o mundo acabar.

JOYCE: Te levo pro meu helicóptero.

SÉRGIO: Quando você sentir necessidade de solidão.

JOYCE: Te peço silêncio.

SÉRGIO: Quando sentir necessidade de sexo.

JOYCE: Você vai junto, a gente divide o bofe. [*Voltando-se para o corredor*] Aliás, o da noite passada. Está aí?

SÉRGIO: Não.

JOYCE: Um bom samaritano que sabe a hora de ir embora.

SÉRGIO: Ele não veio, eu fui para a casa dele.

JOYCE: E você sempre foi um bom samaritano que sabe a hora de ir embora.

SÉRGIO: Uma das minhas poucas qualidades.

JOYCE: Sexo bom?

SÉRGIO [*detendo-se por um instante num canal e avançando para o seguinte*]: Não teve sexo.

JOYCE: Uma noite de carícias adolescentes?

SÉRGIO: Uma noite de paumolecência.

JOYCE [*sorrindo*]: A bebida.

SÉRGIO: Eu adoraria botar a culpa nela.

JOYCE [*virando-se para ele*]: Você não conseguiu.

SÉRGIO: Não consegui. [*Pausa*] A vida não está fácil.

JOYCE: Puxa, amor.

SÉRGIO: Mas não se preocupa, que daqui a pouco ela acaba.

JOYCE [*levantando-se afinal, irritação que talvez seja apenas simulacro*]: Você adora esse drama.

SÉRGIO: E a adoração é recíproca.

:

Naquele tempo em que parecia que sim, que era o fim do mundo, embora os números dos exames melhorassem gradualmente, houve um mês de julho em que Sérgio caiu doente: um cansaço súbito que virou febre e o deixou prostrado na cama, com dor difusa, sem força nem sequer para o mínimo que a vida agora exigia: o preparo das refeições que ele não sentia vontade de comer; a leitura dos livros que ele não sentia vontade de abrir; a continuação das telas que ele não sentia vontade de destapar, postergação que uma parte sua achou bem-vinda, que cogitou definitiva.

Nesses dias de julho, prostrado na cama, ele dormia muito e tinhas sonhos que se atropelavam, como acessórios sobrepostos de uma mesma narrativa. Sonhou que Antônio segurava uma bomba-relógio, sonhou que Joyce segurava um ramo de flores brancas, sonhou que sua mãe o chamava por intermédio de um copo. Sonhos de uma obviedade desconcertante.

Quando acordava, o corpo quente, os olhos precisando de um tempo para se ajustar à penumbra do quarto, tinha pensamentos esparsos que eram acessórios daquela narrativa. Pensava: "A dor é egoísta, não divide espaço". Pensava: "Só quero que o futuro não chegue". Pensava: "Até quando esse corpo? Até quando essa aparente sanidade?"

E isso: "Um corpo com imunidade comprometida é um corpo com imunidade comprometida".

Mas o corpo reagiu, o corpo sempre reagia, e um dia ele acordou inteiro, livre da prostração, da febre, da luta contra a cama, acordou disposto. E saiu para ir ao supermercado com a lembrança muito intacta da prostração, da febre, da luta contra a cama, e aproveitou cada momento do caminho, as pessoas na rua, que geralmente só o incomodavam, aproveitou o sol, atento à brisa que não havia, atento ao som das conversas alheias, que geralmente só o incomodavam. Parou na lanchonete da esquina e pediu um suco improvável, uma sugestão da loja, e se sentou numa das cadeiras desconfortáveis junto a uma mesa bamba para contemplar o fim daquela manhã naquele cantinho de mundo, o seu, e sentiu uma espécie de alegria sentimental de filme de quinta que saboreou quase obscenamente.

Depois jogou na lixeira o copo vazio e atravessou a rua atento aos carros que forçavam passagem e geralmente só o incomodavam. E avançou pela calçada estreita atento aos produtos dispostos nas barraquinhas de camelô que geralmente só o incomodavam. E, atento àquela nova atenção, entrou no supermercado vazio onde comprou material para o almoço e também produtos que ia escolhendo ao acaso, sem a lista de praxe. Comprou dois vinhos e um refrigerante zero de dois litros, comprou uma mostarda que lhe pareceu indispensável ter na prateleira do armário da cozinha, comprou um molho pesto que lhe pareceu indispensável ter na prateleira do armário da cozinha, comprou o suficiente para render seis sacolas generosas que observou com interesse a caixa do supermercado encher sem nenhuma ordem, misturando o imisturável, uma falta de bom senso que geralmente o incomodava.

No caminho de casa, a atenção voltada às seis sacolas, pensou que era bom sentir aquele peso.

Espalhou as compras sobre a bancada, guardou o que era de guardar, cortou o que era de cortar, esperou a água ferver e a massa ficar al dente. Diante da torneira gotejante da pia, sentiu uma ponta de medo: sabia do perigo das torneiras gotejantes, o limite que elas desrespeitavam, a sensação de impotência diante delas.

Drama?

Sempre o drama.

Mas ele se conhecia a esse ponto: a ponto de temer torneiras gotejantes.

Quando estava tudo frágil, ele sabia, ou antes reconhecia com alguma vergonha, bastava uma torneira gotejante.

Fitou a torneira, a cabeça desanuviada.

Como lido com as situações-limite?, pensou. Lido mal. Lido decidido a não lidar bem.

Mas não hoje, não nessa manhã que tinha o gosto insólito de renascimento. Ali, o medo foi apenas uma ponta, um bicho à espreita: ele fechou a torneira com força de modo a espaçar o gotejamento, escreveu a si mesmo o lembrete de que era preciso chamar um bombeiro e seguiu fazendo o que tinha de ser feito.

Almoçou com fome e destapou uma tela. Sentou-se de frente para ela e ficou contemplando-a como a um objeto alheio, aquela primeira sensação já conhecida de que a obra em progresso não lhe pertencia, um estranhamento incômodo, às vezes terrível, em seu ápice a dúvida mesma de que fora ele próprio que pintara aquilo, como se alguém pudesse ter invadido o apartamento para imprimir as formas a partir das quais ele teria de prosseguir, o martírio quase diário do recomeço. Mas um martírio novo, um martírio dessa nova fase.

Porque antes, não.

Antes, quando a pintura tinha em sua vida papel central e ele respirava a confecção do equilíbrio de cor e desenho e pintar era tudo que ele desejava e fazia, naquela época antiga em que sua dedicação era praticamente exclusiva, deixando em segundo plano todas as outras coisas do cotidiano, que lhe pareciam menores, naquela época de batalha para conseguir uma bienal, e depois êxito de conseguir a bienal, de batalha para conseguir uma galeria, e depois êxito de conseguir a galeria, naquela época em que ele parecia andar pela cidade, sua cidade, como turista, sempre atento ao que poderia caber na tela, ao que poderia inspirar o novo estilo, não havia o martírio diário do recomeço.

Não havia quebra, não havia distinção entre o momento de estar pintando e o momento de não estar pintando: uma vez dado o mergulho na tela, ou numa série de telas, não havia o instante de erguer a cabeça para respirar, era tudo água, era tudo a execução do nado submerso que o levaria ao outro lado. E, só lá, no outro lado, ele emergia e olhava afinal para trás e, às vezes assombrado, vendo já o trabalho terminado, tinha a sensação de não pertencimento da obra, a impressão de que outra pessoa teria invadido o apartamento para produzir a tela, ou a série de telas.

Mas aí já estava pronto.

E era bom.

Tinha sido bom.

Agora era a pedreira. Agora era o confronto cotidiano com o estranhamento, a pausa de silício ao retomar a tela, o temor antecipatório de que essa retomada seria impossível, de que, sentado diante dela, ele enxergaria no trabalho da véspera apenas um despropósito, uma nulidade, de que não reconheceria ali nem sequer a intenção, de que não encontraria uma pista para seu prosseguimento e se veria desenganado a ponto de parar.

Agora era a necessidade diária de esforço, o gesto antiorgânico da continuação artificial, a reinvenção do instinto na marra, a intuição reconfigurada à força, era a exigência de puxar pela memória o fio da meada, a criação com arma na cabeça, o quebrar mesmo de pedras, o trabalho exaustivo de dar a lascas unidade apenas pelo desejo, pela perseverança.

Agora era a inexistência da tela tão logo ele largava o pincel, era a cidade muda, a cidade apenas um espaço geográfico cansado, aquela cidade, a sua, gasta, incapaz de inventar horizontes. Agora havia necessidade de luta, e, havendo necessidade de luta, ele se perguntava por que fazer.

Mas seguia fazendo.

Ele não sabia por quê.

Ele sabia.

Ou desconfiava.

Quando lhe perguntavam, respondia:

— É terapêutico.

Sim, agora era uma maneira de enfrentar o momento, aquele. Mas não fora sempre?, ele se perguntava.

Ele não sabia.

Ele sabia.

Ou desconfiava.

Porque antes pintar era de fato uma maneira de enfrentar o momento, um outro momento — pois sempre os há —, uma maneira de recodificar as experiências, interpretando-as, mas era também a descoberta de seguir descobrindo a própria pintura, o jogo da pintura, as pontes que ela podia levantar entre ele e o público, esse vulto sem rosto que ele às vezes imaginava benigno, inofensivo, às vezes impiedoso, uma aventura de frio na barriga.

Agora, não.

Agora era mais desacreditado da própria pintura e seu jogo, mais desacreditado de pontes e do público, era mais para dentro, mais destinado a ele próprio, embora ao mesmo tempo lhe parecesse descabido pintar para não expor, pintar para guardar. Uma raspa de exibicionismo? Talvez. Mas o ato mesmo de se colocar diante da tela era um mergulho unicamente em si próprio, sem ambição exterior, com uma aventura de outra ordem, uma aventura sem cheiro de aventura, pálida.

Era introspectivo e menos saboroso.

Uma droga, ele pensava, meditativo.

Um remédio?, ele desconfiava.

Ele sabia.

Quero pintar a doença, ele desconfiava, meditativo.

Quero pintar a doença, ele sabia. Mas é como se eu ainda não tivesse vivência dela. Só tenho a vivência do choque.

Mas seguia fazendo.

.

Naquele tempo em que parecia que sim, que era o fim do mundo, navegando uma noite na internet depois de uma tarde especialmente difícil diante da retomada de uma tela, quase por descuido Sérgio aprendeu o que era uma pérola.

"A pérola", ele leu com assombro, "é o resultado de uma reação natural da ostra contra invasores externos, como certos parasitas que procuram se reproduzir em seu interior."

"Ao defender-se do intruso", ele leu com assombro, "a ostra o ataca com uma substância segregada pelo manto, chamada nácar ou madrepérola, composta de 90% de um material calcário — a aragonita ($CaCO_3$) —, 6% de material orgânico — conqueolina, o principal componente da parte externa da concha — e 4% de água."

Ele se deteve.

Releu o primeiro trecho.

Releu o segundo trecho.

Como se estudasse para uma prova.

Como se decorasse um mantra.

"Depositada sobre o invasor em camadas concêntricas", ele leu com assombro, "essa substância cristaliza-se rapidamente, isolando o perigo e formando uma pequena bolota rígida."

Ele se deteve.

Releu o terceiro trecho.

Pensou que aquilo era bonito de doer e guardou a imagem, ou antes a imagem se aderiu a ele como um perfume sobrenatural de fixador extraordinário, um perfume que passaria dias e sobretudo noites exigindo atenção para suas propriedades.

Ao fim desses dias e sobretudo noites, quando a imagem começava a se descolar de sua mente, o fixador extraordinário revelando afinal sua marca mundana, a marca que permite que nada permaneça para sempre, nem o bom nem o mau — uma pena, uma dádiva —, Sérgio se sentou novamente diante do *laptop* e abriu o Google, dessa vez à procura de imagens de pérolas, e depois de alguma hesitação entre uma fotografia que mostrava a concha rugosa de uma ostra guardando a pérola luminosa — criador e criatura — e uma fotografia que mostrava apenas a pérola, luminosa, optou afinal por esta e imprimiu-a grande no papel A4 e levou-a para o cômodo que rebatizara de ateliê e prendeu-a na parede ao lado da janela, onde o sol não batia.

Sérgio sentia algo próximo à alegria quando se afastou para contemplar a imagem naquela parede que o sol não alcançava, protegida do brilho alheio. Sentia vontade de cantar e por isso cantou baixinho a música antiga que lhe ocorreu ele não sabia por quê, saboreando o momento de ter mais uma vez no ateliê uma imagem que havia sido colada ali à guisa de inspiração.

Enquanto cantava baixinho aquela música antiga, pensou a princípio um pouco indistintamente e depois de maneira cada vez mais clara que, ao contrário de antes, quando as imagens coladas no ateliê se destinavam à inspiração da própria tela, ou da série de telas, a imagem de agora, aquela pérola luminosa, era uma inspiração apenas para o prosseguimento da criação. Uma inspiração motivacional sobretudo para aqueles momentos iniciais de pedreira na retomada diária do trabalho.

:

Aquele tempo em que parecia que sim, que era o fim do mundo, foi o tempo dos ajustes exigidos pela nova realidade que o HIV impunha, o tempo de acomodar o HIV e suas consequências no corpo e também na mente, de entendê-lo não exatamente estudando sobre ele, mas em geral recorrendo ao método mais fácil de sanar dúvidas com a médica: sim, ele poderia continuar ingerindo álcool depois de começar a tomar o remédio; não, os gânglios e as ínguas que não o deixavam esquecer sua condição quando tudo que ele queria era esquecer sua condição não desapareceriam enquanto ele não começasse a tomar o remédio.

Foi o tempo de esperar o susto, de temer o susto, de aceitar o susto: quando a médica lia o resultado de exames surpreendentemente bons e dizia "O vírus está quieto", fazendo o coração dele saltar ante a expectativa do momento em que o vírus deixaria de estar quieto; ou quando ele lia o resultado de exames não exatamente péssimos, mas ruins o bastante, e sentia o coração se contrair como se fosse implodir ou desaparecer, o que lhe parecia uma possibilidade, e a médica dizia "Nosso corpo é uma maré", acreditando em sua futura recuperação, e ele se agarrava a essa crença com um broto de fé novo, ao mesmo tempo frágil e resistente, regando-o cheio de um cuidado também novo, ao mesmo tempo que domava o medo de que aquela crença não se justificasse ou que, justificando-se, trouxesse em sua promessa interna a próxima maré baixa; ou quando a médica lhe perguntava casualmente como ele estava, e ele casualmente respondia que estava bem, como responderia a qualquer pessoa que lhe perguntasse isso casualmente na rua, e ela acreditava naquela resposta talvez mais do que deveria e dizia "A felicidade é a melhor arma para a imunidade", e ele receava o estresse, receava a tristeza, não como a pessoa comum receia a tristeza e o estresse, pelo mal intrínseco deles, mas pelo pânico de que sua imunidade caísse.

Aquele foi o tempo de, com relutância, esperar a passagem do tempo. Com relutância, com uma espécie de esperneio infantil — Eu não precisava estar aqui, Eu não precisava estar aqui, Eu não precisava estar aqui —, foi o tempo de domesticação de certos arroubos, o tempo de apropriação de uma paciência emprestada, de amadurecimento — não no sentido careta da palavra, que prevê uma elaboração da consciência, mas no sentido mais rasteiro do desenvolvimento pela própria passagem inevitável dos meses e por um tipo de resignação vazio de orgulho — para absorção da notícia, aquela notícia quente sobre si mesmo, até o total esfriamento dela.

Foi o tempo de percorrer um trajeto que culminava em seu ponto antagônico: o início do tempo em que já não parecia que era o fim do mundo.

Em que ele sabia disso.

INTERIOR, SUPERMERCADO, MANHÃ.

São dez horas quando Sérgio desprende com alguma dificuldade um carrinho dos demais e entra no primeiro corredor, passando os olhos pelas gôndolas um pouco sem vê-las, já certo do que deseja comprar, volta e meia conferindo a bolinha vermelha deixada em seu braço pela agulha do exame feito minutos antes: medo de que a minúscula abertura desande a sangrar.

Em sua mente, as palavras da enfermeira do laboratório ao acoplar frasco após frasco à agulha espetada em seu braço: Você tem sorte, suas veias são fortes, tem gente que pena.

E um pensamento obsessivo: Até quando?

Ele se dirige ao fundo do supermercado, pega um pouco sem ver o primeiro produto de sua lista mental e pede licença ao rapaz que obstrui o caminho, um pouco sem vê-lo, mas a tempo intui que o rapaz o observa e por isso olha afinal para ele.

O rapaz, uma graça.

O rapaz, seu número.

Sérgio sorri um sorriso de canto de boca.

Lembra-se da bolinha vermelha no braço, sente uma espécie de vergonha, como se ela o denunciasse, e avança para o corredor seguinte, passando os olhos pelas gôndolas um pouco sem vê-las.

Em sua mente, as palavras do senhor que, minutos antes, pegava os resultados de seu exame junto ao balcão do laboratório: Glicose ok, colesterol ok, triglicerídeos ok.

E um pensamento obsessivo: Ah, se meus problemas fossem esses.

Ele se detém diante da imensa variedade do segundo produto de sua lista mental, pega um pouco sem ver aquele de sua marca preferida e nota o rapaz para o qual sorrira um sorriso de canto de boca parado logo atrás, hesitante entre escolher alguma coisa e não escolher nada, entre ser evidente na manifestação da paquera, essa palavra antiquada, e manter-se pretensamente alheio.

O rapaz, seus trinta anos.

O rapaz, camiseta listrada.

Alargador preto nas duas orelhas, tatuagem de diamante no braço esquerdo, cabelo levemente moicano, quase um personagem. Mais um.

Mas Sérgio adora personagens.

Esquecido da bolinha vermelha no braço, estaca diante da imensa variedade do segundo produto de sua lista mental, com aquele de sua marca preferida já no carrinho, sem fingir portanto que estacou ali por alguma indecisão, que estacou para qualquer outra coisa além da paquera, para a pegação, essa palavra contemporânea.

O rapaz olha para Sérgio, sorri um sorriso de canto de boca.

Sérgio encara o rapaz, pela segunda vez sorri seu sorriso de canto de boca.

O rapaz se aproxima.

E aí?, diz à guisa de cumprimento.

Beleza?, responde Sérgio, pergunta Sérgio.

Beleza, diz o rapaz, fazendo umas compras.

O óbvio.

Mas Sérgio não pensa: Que idiota!

Sérgio não pensa: Se não tiver o que dizer, não diga nada.

Porque nos trâmites da pegação a inteligência deve ser, senão aposentada, pelo menos retirada do pedestal.

O que importa é o fim.

A sintonia de dois para esse fim.

O rapaz pergunta: Você mora por aqui? E, meio se justificando, acrescenta: Nunca te vi.

Sérgio responde: Moro. E, meio se justificando, acrescenta: Muita gente.

O rapaz diz: Pode crer.

Sérgio balança a cabeça. Sorri seu sorriso de canto de boca. Passa de leve a mão no diamante do braço esquerdo do rapaz.

Bonita, diz.

Tenho outra, o rapaz responde. Nas costas.

Posso ver?, pergunta Sérgio, sério como se o assunto fosse delicado.

Não dá, responde o rapaz. É muito em cima

Vamos para um lugar onde dê, diz Sérgio, sério como se o assunto fosse perigoso.

O rapaz pergunta: Você mora por aqui?

Como se já não tivesse perguntado.

Sérgio responde: Moro.

Como se já não tivesse respondido.

O rapaz olha nos olhos seguros de Sérgio e hesita a hesitação de quando o outro tem certeza demais, quando o outro está resoluto, deixando-nos por consequência na dúvida de estarmos também. Mas a hesitação dura poucos segundos, só o tempo de Sérgio notá-la, acumulando certeza.

Também moro, diz o rapaz. Então olha para fora do supermercado e acrescenta: No prédio da frente.

Sérgio não diz nada. Apenas o encara com seus olhos seguros, como se o instigasse a desistir. Paciente. Exigente. Quer o convite formal, quer o "Vamos?"

O rapaz pergunta: Você está de bobeira?

Sérgio confirma com a cabeça.

O rapaz vacila, sorri um sorriso de canto de boca, mas um sorriso de canto de boca incerto.

Eu também, diz. Hoje só trabalho à tarde.

Sérgio não pergunta: Você trabalha com o quê?

Não deseja saber.

Não quer fingir que deseja.

Apenas segue encarando o rapaz na renovada hesitação dele, enquanto acumula certeza: a conversa, ele sabe, pode ser um antiafrodisíaco irreversível.

O rapaz olha para seu próprio carrinho cheio, olha para o carrinho quase vazio de Sérgio. Passa a mão no cabelo levemente moicano, desarrumando-o, e volta a fitar os olhos seguros de Sérgio.

Vamos?, propõe, afinal.

Vamos, responde Sérgio, na mesma batida.

O rapaz titubeia sem saber o passo seguinte.

Mas Sérgio sabe.

Com firmeza, puxa o braço do rapaz, que larga seu carrinho cheio no canto do corredor, ao lado do carrinho quase vazio dele, e o acompanha para fora do mercado.

*"**O fade out.** A tela vai escurecendo gradualmente até o desaparecimento total da imagem. Ocasiona a sensação de encerramento ou término de determinando instante ou período em que a história ocorre." (COMPARATO, D. Da criação ao roteiro. 5. ed. rev. e atual. São Paulo: Summus, 2018, p. 309)*

INTERIOR, APARTAMENTO DE SÉRGIO, NOITE.

Sérgio está deitado no sofá, ouvindo música, a televisão ligada sem som. Joyce surge com algumas bolsas de compras, que deixa na cozinha, arrasta-se até o sofá e desaba ao lado dele.

JOYCE: Tão cansada! [*Alonga o corpo, passando a mão no cabelo*] Te dou cinco reais...

SÉRGIO: Olha que já fiz muita coisa por menos.

JOYCE [sorrindo]: Falta de amor-próprio.

SÉRGIO: Falta de empreendedorismo.

JOYCE: Minha putinha barata realizada.

SÉRGIO: Minha alma cristã.

JOYCE [fitando-o, em tom de súplica]: Eu só queria uma massagem.

SÉRGIO: Vem, que estou de bom humor.

JOYCE [surpresa]: Entrei no apartamento errado?

SÉRGIO: Você não dá essa sorte.

JOYCE [oferecendo as costas para ele, que inicia a massagem]: Meu Deus, troco uma trepada por isso.

SÉRGIO: Você precisa escolher melhor os homens com quem vai para a cama.

JOYCE: Meu método de seleção é certeiro.

SÉRGIO [apertando a base da coluna, arrancando dela um suspiro]: A voz? As mãos? O jeito?

JOYCE: Aquele ar de quem não beija quando fode.

SÉRGIO [sorrindo]: Meu método de seleção é o acaso.

JOYCE: Minha putinha barata realizada.

SÉRGIO: Minha alma cristã.

JOYCE [olhos fechados, relaxada]: E essa música.

SÉRGIO: E essa música.

JOYCE [olhos fechados, relaxada]: Com Chet Baker o mundo fica dois graus acima.

SÉRGIO: É trilha para um filme que não é esse.

JOYCE [olhos fechados, relaxada]: Dá vontade de coreografar uma dança.

SÉRGIO: Dá?

JOYCE: Criar a luz, o cenário.

SÉRGIO: Dá?

JOYCE: Inspira.

SÉRGIO: Só me inspira a deitar e ouvir.

JOYCE: E eu te impedindo de fazer isso.

SÉRGIO: São cinco reais.

JOYCE [*abrindo os olhos, voltando-os para a televisão sem som*]: Podia estar passando uma coisa incrível.

SÉRGIO: Podia.

JOYCE: Mas certamente não está.

SÉRGIO: Não. [*Pausa*] Podia estar passando uma coisa que não fosse horrível.

JOYCE: Isso!

SÉRGIO [*apertando a base da coluna, arrancando dela um suspiro*]: A gente tem a música.

JOYCE: A gente tem um ao outro.

SÉRGIO: A gente tem erva.

JOYCE: A gente tem sorte. [*Vira-se para ele*] E você está de bom humor.

SÉRGIO: Estou.

JOYCE: Mega-Sena acumulada?

SÉRGIO [*sorrindo*]: Nossa sorte tem limite. [*Pausa*] A Bel veio aqui.

JOYCE: Bel?

SÉRGIO: Ex da Júlia, tempo de faculdade.

JOYCE: Nossa memória tem limite.

SÉRGIO: Belas Artes, cabelo roxo na época, agora cabeça raspada, quase me assustei.

JOYCE [*suspirando*]: As pessoas não têm limite.

SÉRGIO: Ou fomos nós que encaretamos?

JOYCE [*quase ofendida*]: Justo eu que sempre fui tão pra-frentex!

SÉRGIO: Essa expressão já te denuncia.

JOYCE: Não lembro da Bel. [*Pausa*] Mas ela veio aqui.

SÉRGIO: Veio. Está trabalhando numa galeria foda, a Júlia tinha me dito.

JOYCE [*virando-se para ele*]: Ela viu as telas!

SÉRGIO: E gostou.

JOYCE: Claro que gostou! Não é louca. Quer dizer, não sei, essa cabeça raspada. [*Abre um sorriso culpado*] Minha modernidade tem limite.

SÉRGIO: Eu te perdoo.

JOYCE: Meu Deus, você vai expor!

SÉRGIO: Ainda não tem nada certo.

JOYCE: Meu Deus, você vai expor!

SÉRGIO: Provavelmente.

JOYCE [*levantando-se*]: Isso merece champanhe.

SÉRGIO: Só tem três dedos de Absolut. Com sorte.

JOYCE: Nada de champanhe?

SÉRGIO: Você não entrou no apartamento errado.

JOYCE [*sentando-se novamente*]: A gente tem erva.

SÉRGIO: A gente tem a música.

JOYCE: A gente tem sorte. [*Acende um baseado e volta os olhos para a televisão, onde um ator muito jovem exibe as tatuagens de seu personagem tatuado.*] Esse garoto é maravilhoso.

SÉRGIO: É.

JOYCE [*olhos fixados na televisão, onde o ator muito jovem segue exibindo as tatuagens de seu personagem tatuado*]: Benza Deus! [*Passa o baseado para Sérgio, que dá duas tragadas e lhe devolve.*] Até essa acne dele eu acho sexy.

SÉRGIO [*soltando uma nuvem de fumaça*]: Seus comentários são comentários gays.

JOYCE: Ah, mas eu adoro me apropriar do alheio.

SÉRGIO: Síndrome de Winona Ryder.

JOYCE: Síndrome de maria vai com as outras. [*Solta uma nuvem de fumaça, vira-se para Sérgio.*] Meu Deus, você vai expor!

SÉRGIO [*resoluto*]: Vou.

JOYCE: Isso merece champanhe.

SÉRGIO: Né?

JOYCE: Claro, a gente devia sair.

SÉRGIO: Isso!

JOYCE: Um bar sofisticado, com gente sofisticada.

SÉRGIO: Isso!

JOYCE: Ou um boteco meia-boca, com sidra de quinta.

SÉRGIO: Isso!

JOYCE: Você está de bom humor.

SÉRGIO: E a gente sabe que não é todo dia.

JOYCE [*levantando-se*]: Vamos!

SÉRGIO [*puxando-a de volta para o sofá*]: Nosso lugar é aqui, nossa cena.

JOYCE [*dando uma tragada demorada*]: Isso não é uma peça.

SÉRGIO: Não. É um filme.

JOYCE [*dando uma tragada demorada*]: De baixo orçamento?

SÉRGIO: Conceitual, independente.

JOYCE [*estendendo o baseado para ele*]: Eu aceito a cena.

SÉRGIO: Aceitação é o primeiro passo para a transformação.

JOYCE [*sorrindo*]: Adoro um provérbio.

SÉRGIO: Da abundância nasce o tédio.

JOYCE [*sorrindo*]: A cabra da minha vizinha dá mais leite do que a minha.

SÉRGIO [*dando uma tragada demorada*]: A ocasião se agarra pelos cabelos.

JOYCE [*sorrindo*]: A galinha do vizinho é mais gorda do que a minha.

SÉRGIO [*dando uma tragada demorada*]: Rá!

JOYCE [*meditativa*]: Eu queria uma Bel aparecendo aqui toda semana.

SÉRGIO: Da abundância nasce o tédio.

JOYCE [*meditativa*]: E pensar que basta uma Bel.

SÉRGIO: Basta. [*Pausa*] Mas não foi só ela.

JOYCE [*encarando-o*]: Não foi só ela?

SÉRGIO: A Bel foi à tarde. [*Pausa*] Teve a manhã.

JOYCE: O que teve na manhã?

SÉRGIO [*estendendo o baseado para ela*]: A quebra do jejum.

JOYCE: Você trepou!

SÉRGIO: O acaso.

JOYCE: Minha putinha barata realizada.

SÉRGIO: Pau que nasce torto nunca se endireita.

.
.

Parecia um filme, embora não fosse surpresa.

Era o cumprimento do futuro.

A Dra. Tereza leu o resultado dos exames e disse:

— Sei que você não quer começar o remédio.

Ela olhava fixo nos olhos dele.

Ele engoliu em seco.

Ela disse:

— Estudos recentes sugerem que, quanto antes a pessoa começa a tomar o remédio, melhor.

Ela olhava fixo nos olhos dele, talvez para transmitir confiança.

Ele não confiava.

Quer dizer, ele tinha lido sobre aqueles estudos. De passagem, porque a revista caiu em seu colo. Mas não acreditava. Ou não exatamente. Acreditava, antes, que aquela era uma maneira de controlar a disseminação do vírus: reduzindo a zero a carga das pessoas infectadas, elas não poderiam infectar. Mas não acreditava que fosse uma maneira de prolongar a vida ou o bem-estar da pessoa infectada. Acreditava que era uma medida pelo todo, não pelo indivíduo. E acreditava que a médica acreditava igual.

Ele não havia nascido ontem.

Ele achava.

Ele se endireitou na cadeira.

A Dra. Tereza deu o tiro de misericórdia:

— Nós combinamos.

Sim: parecia um filme, mas não era surpresa.

Ele tinha chegado ao consultório sabendo. De hoje não passa, pensava já na sala de espera. De hoje não passa, pensava ao se vestir para sair de casa. De amanhã não passa, pensava no dia anterior, ao sair do laboratório.

A verdade era que seu CD4 vinha oscilando de maneira alarmante e inusitada, um susto e um alívio, um susto e um alívio, um susto e um alívio, até engordar uma pulga atrás da orelha da médica e um temor.

Tenho medo de que você fique doente, dissera ela depois de ler o resultado dos exames na consulta anterior. Vamos fazer o seguinte.

Ele, atento.

Ele: Eu não precisava estar aqui.

Vou te dar mais três meses, ela, generosa ou quem sabe nutrindo uma última esperança: nosso corpo, aquela maré. Daqui a três meses, você volta, fazemos novos exames. Se seu CD4 estiver abaixo de trezentos, começamos o remédio.

Um acordo de logística, um compromisso entre ela, a médica, uma mulher adulta, e ele, o paciente, um menino de treze anos num corpo de adulto. Tudo bem?

Portanto não era surpresa. Embora parecesse um filme.

— Nós combinamos — repetiu ela, ou disse pela primeira vez, diante daquele arquivo cinza cheio de nomes desconhecidos, tudo muito em câmera lenta, tudo aparentemente com uma terceira pessoa, ele nem ali, ele obrigando-se a estar ali.

Ele assentiu.

Ela pegou um bloco de folhas, preencheu o nome dele no alto, marcou o nome de um entre muitos remédios, assinou o pé da página.

— É um comprimido por dia, à noite, antes de dormir — avisou.

Ele, em silêncio.

Ele, cumprindo sua parte do acordo.

— As primeiras noites são uma incógnita — avisou ela. — Algumas pessoas têm sonhos lindos, outras têm pesadelos horríveis. Você pode ficar um pouco grogue, a realidade alterada. Depois passa.

Ele tinha alguma pergunta?

Talvez.

Ele não sabia.

Na dúvida, não.

A dúvida é sempre um não.

Ela indicou um posto de saúde, onde ele passaria para pegar o remédio mensalmente.

:

Parecia um filme, ele se aproximando do posto de saúde, o medo do serviço público, medo do próprio posto, aquela construção em ruína, com o aspecto de abandono que nasce dia após dia, ano após ano, por descuido, mas que também poderia ter nascido de súbito, por uma explosão nuclear.

Avançando pela calçada oposta, Sérgio notou que o lugar parecia desabitado, pegou no bolso o celular para conferir o calendário, quem sabe era feriado, agora que os feriados eram tantos e não queriam dizer nada para ele. Mas não era. Atravessou a rua já em frente ao portão de ferro com tinta verde descascando e viu que havia três pessoas conversando debaixo de uma árvore, ou um arremedo de árvore, a árvore depois da explosão.

Passou pelas pessoas sem muita certeza, fingindo propósito, mas fingindo mal. Queria perguntar, mas não sabia exatamente o quê. Queria uma central de informações. Queria alguém que o levasse pela mão.

Adiante, havia um senhor sentado numa cadeira de plástico, junto a uma grade, e, depois dele, uma fila composta por cinco senhoras de saia e blusa de manga comprida, como se tivessem combinado o figurino, cada qual segurando um papel.

Ele tinha um papel.

Entrou na fila.

Quase suspirou aliviado: encontrara uma fila, estava na fila, num dia útil do posto de saúde, desabitado apenas para quem olhava de fora.

Ele: Eu era a pessoa que olhava de fora.

Ele: Mentira.

Ele: Eu não olhava.

A fila parecia uma fila de figurantes, não avançava. Deu a ele tempo de estudar as cinco senhoras de figurino idêntico, distinguido-as: o cabelo grisalho de uma, o cabelo pintado de louro de outra, as sandálias presas na canela de uma, as sandálias de dedo de outra.

Ele, enxergando-as através de uma lente.

Ele, relutando em ser mais um figurante.

Ele: Eu não precisava estar aqui.

Mas, com paciência — que era também uma espécie de respeito por aquela instituição à qual ele teria de comparecer mensalmente, da qual ele começaria a depender —, os minutos transcorreram e as senhoras de figurino idêntico se afastaram uma a uma e ele pediu afinal a informação de que precisava, estendendo o papel para a moça atrás do vidro, sem vê-la.

A moça atrás do vidro deu a ele a informação solicitada, indicando um vão, indicando a escada, ensinando o andar e a sala. Não era simpática, mas tinha uma eficiência que passava por simpatia.

Ele agradeceu com um sorriso, simpático.

Entrou no vão, subiu a escada, chegou ao andar, mas não encontrou a sala: andou para a direita, andou para a esquerda, deu uma volta completa naquele corredor aparentemente em forma de 8, um labirinto de paredes tomadas por cartazes, o posto de saúde uma construção do Escher.

Quando chegou à conclusão de que não encontraria a sala, decidiu descer a escada, voltar, perguntar novamente à moça atrás do vidro, admitir sua ineficiência, mas não lembrava onde ficava a saída. Avançou pelo corredor realizando o que parecia ser uma volta completa e nada: ineficiência até para admitir ineficiência.

Parou, encostou-se na parede tomada de cartazes. Respirou fundo uma, duas vezes. Preciso encontrar a saída, pensava de maneira quase obstinada quando ergueu os olhos e viu na porta azul que se achava praticamente diante dele um número e um título: o número e o título que procurava. Se acreditasse em Deus, agradeceria a Ele. Não acreditava. Murmurou "Obrigado" à sorte.

Afastou-se da parede desprendendo sem querer um cartaz e bateu três vezes na porta, de leve, como se não quisesse ser ouvido.

Alguém ouviu. Alguém disse:

— Entra.

Ele entrou.

Havia duas mulheres.

Ele explicou à mulher que se achava mais próxima que tinham lhe indicado aquela sala, mostrou o papel que segurava.

A mulher disse que ele precisava de outro papel para ser atendido pelo médico do posto, um papel além daquele pedido de remédio, perguntou se a médica dele não lhe entregara o papel.

Ele respondeu que não.

Só tinha o pedido de remédio.

Mas decerto tinha também nos olhos um pedido de socorro, porque a mulher não lhe tomou pela mão, mas se levantou e disse:

— Vem comigo.

Ele a acompanhou, obediente, até a saída daquele andar, desceu a escada em seu encalço como se seguisse um anjo, queria segurar o braço dela para se certificar de que era carne, para impedi-la de desaparecer, ele que não acreditava em anjos, mas acreditava em aparições, ou no poder criador da mente, o que dava no mesmo.

A mulher tinha seus trinta e poucos anos, usava o cabelo preso num rabo de cavalo, calça jeans e camiseta branca. Alcançou uma porta do térreo e disse:

— Me espera aqui.

Ele assentiu.

Ele, querendo dizer: Não me deixa sozinho.

Ela desapareceu atrás da porta.

Ele esperou torcendo, pedindo à sorte que tudo se resolvesse naquele mesmo instante, que não fosse preciso voltar ao consultório da Dra. Teresa e aguardar eternamente na sala de espera para pedir um papel, depois retornar ao posto de saúde, apenas uma etapa queimada, a moça atrás do vidro, mas talvez nem isso, aquele vão, aquela escada, aquele andar, tudo memorizado, mas mal memorizado, sobretudo a sala de porta azul à qual ele sabia que não sabia chegar, embora recordasse o número e o título.

Estudou os cartazes da parede.

Desejou estar com o iPod, mas de algum modo sentia que aquele não era um lugar para iPods, não cabia evasão dali, o transporte da música para outros cantos, era preciso estar inteiro naquele local, naquele instante, os sentidos aguçados, voltados à possível exigência imediata de entrar em ação e ser uma pessoa hábil.

Ouviu um choro de bebê a distância e se virou notando que, de onde estava, dava para ver o arremedo de árvore da entrada, em cuja sombra já não havia ninguém. Olhou os ramos secos à procura de algum passarinho sem alternativa, mas aparentemente os passarinhos sempre tinham alternativa.

A mulher de rabo de cavalo demorou uma vida atrás da porta, ou cinco minutos que pareceram uma vida, e ressurgiu com outra mulher, magra, de cabelo curto.

— Essa é a Mônica — apresentou, embora ela própria fosse alguém ainda sem nome.

— Oi — ele disse.

Mônica abriu um sorriso que ele quis acreditar simpático, mas que também podia ser apenas protocolar.

A mulher de rabo de cavalo disse:

— Ela vai quebrar seu galho.

E piscou o olho para ele, segurando seu braço muito rapidamente à guisa de despedida, afastando-se sem as asas cujo rumor ele jurava poder ouvir.

Mônica disse:

— Vamos entrar.

Abriu a porta e conduziu-o ao pequeno cômodo cheio de estantes de remédios, uma mesa abarrotada de papéis diante da qual se sentou, puxando uma cadeira para ele. Bateu no assento na cadeira. Ele se sentou, obediente, mas na ponta. Como se não quisesse ocupar espaço.

Ela não o olhava. Pegou uma caneta e se pôs a anotar as respostas do questionário que lia metodicamente: perguntas que eram as perguntas de todo consultório médico, além de algumas sobre seu histórico com o HIV. Perguntas fáceis. Não era uma arguição. Ou era uma arguição destinada à nota 10.

Ao fim do questionário, levantou-se e pegou numa grande caixa de papelão uma caixinha de remédio, que estendeu para ele ainda sem olhá-lo, com uma casualidade que não condizia com o ato. Porque, ainda que recebesse o remédio de algum modo contrariado, Sérgio o recebia também com um respeito que era o respeito próprio do sagrado — da mesma maneira que, quando menino, na época do colégio católico, ainda que de algum modo contrariado, recebia durante a missa a hóstia.

Leu na caixinha branca o nome comprido do medicamento, o nome que era uma descrição de seus elementos, a data de fabricação, um ano antes, a data de validade, para dali a dois anos, validade portanto folgada para um remédio que deveria ser consumido em trinta dias.

A mulher de cabelo curto o encarou.

— Todo mês você vai vir pegar o remédio aqui. — Abriu para ele o mesmo sorriso simpático ou protocolar com que o recebera. — Ali — corrigiu-se, indicando a janelinha de vidro que era a comunicação do cômodo abarrotado de medicamentos com o resto do posto de saúde.

Ele se levantou, hesitante.

Ela o conduziu com segurança para fora, dando a volta no corredor para lhe mostrar a janelinha de vidro do outro lado, do lado que caberia a ele todos os meses.

Ele leu, acima da janelinha de vidro: FARMÁCIA.

Percebeu que ficava naquele primeiro vão do posto.

Sabia onde estava.

Sentiu uma espécie de tranquilidade com isso.

Ela abriu mais uma vez o sorriso, que ele quis acreditar simpático.

— Obrigado — ele disse.

Ela se afastou ainda com o sorriso aberto.

Ele se pôs a caminhar, meio aéreo, levemente satisfeito, sem notar a fila que havia sido a primeira coisa que notara ali dentro, ou quase a primeira coisa, sem notar a cadeira de plástico na qual, à sua chegada, havia um senhor sentado, junto a uma grade, sem notar o arremedo de árvore carente de passarinhos. Sua atenção se achava exclusivamente voltada para a caixinha que, como se quisesse ocultar, levava apertada na mão.

*"**Desfocagem.** Diante de dois elementos, a câmera concentra-se num só, definindo um, enquanto o outro fica desfocado." (COMPARATO, D. Da criação ao roteiro. 5. ed. rev. e atual. São Paulo: Summus, 2018, p. 720.)*

A cena é esta: Sérgio recostado no sofá de casa, obediente à sua marcação de praxe, com um livro aberto diante dos olhos, desfocado, não apenas o livro, mas também Sérgio, o sofá. A câmera, disposta do outro lado da sala, concentra-se na mesa grande junto à entrada, onde se acha o frasco branco do remédio, já livre da caixinha também branca.

Sérgio lê, mas lê mal. Lê precisando voltar as frases, os parágrafos, percorrendo a mesma página várias vezes. E por isso lê imóvel.

A cena parece congelada, outro recurso possível do cinema, como nos lembra Doc Comparato, na página 309 do livro supracitado: "A imagem deixa de se mover, fica momentaneamente estática. Esse efeito é utilizado para dar ênfase a determinado momento, às imagens que um fotógrafo capta ao disparar sua câmera ou para encerrar uma cena".

Não é do que se trata.

Nossa cena apenas *parece* congelada, Sérgio lendo, mas lendo mal, a atenção dividida entre o livro e o objeto sobre o qual a câmera se concentra, definindo-o: o frasco branco do remédio, já livre da caixinha também branca.

É dele que se trata a cena.

É dele que se trata esta noite.

O recurso deve falar por si.

.

Quando, ao desistir da leitura do livro, botou o comprimido meio grande demais na palma da mão, Sérgio pensava um tanto obsessivamente: depois desse não tem volta, depois desse não tem volta, depois desse não tem volta. Como se antes dele houvesse volta.

Encheu um copo d'água, levou o comprimido à boca e tomou tudo de um só gole, então ficou encarando seu reflexo na janela da cozinha. Tinha medo de sentir náusea, o pânico de vômito. Se acreditasse em Deus, pediria para não sentir náusea. Murmurou para seu reflexo:

— Por favor.

E foi se deitar.

Mas não dormiu, nem sequer apagou a luminária.

A apreensão, as palavras da Dra. Teresa, "Algumas pessoas têm sonhos lindos, outras têm pesadelos horríveis", a certeza de que teria pesadelos horríveis.

O tempo passava a conta-gotas. Mas, como é sua obrigação, passava.

Ele, atento.

Ele, volta e meia se certificando dessa passagem, conferindo o despertador.

Ele, do contrário, fitando o teto.

A apreensão, "Você pode ficar um pouco grogue, a realidade alterada", a certeza de que ficaria grogue.

Quando dormiu afinal, apesar da convicção de que não dormiria, de que manteria vigília de suas sensações, foi vencido por um peso que talvez já fosse efeito do remédio. Um peso de gravidade dobrada, para dentro.

Acordou com a luminária do quarto ainda acesa, duas horas, duas horas e meia depois de ter dormido, surpreso por não ter tido nenhum pesadelo, mas convencido de que descobrira o funcionamento do sono, a formação secreta das imagens, as brechas entre um sonho e outro, quando a pessoa ficava mais à superfície e portanto mais propensa a acordar. Havia sido numa brecha dessas que ele acordara.

Voltou os olhos para o despertador, confirmou as duas horas, duas horas e meia passadas e teve medo daquela descoberta. Parecia-lhe errado o acesso ao conhecimento, a infração de uma ordem, embora não tivesse partido dele a busca, embora tivesse alcançado o conhecimento involuntariamente. Uma conquista espontânea. Mas uma conquista às avessas, um prêmio infame.

Puxado pela gravidade dobrada, voltou quase imediatamente a dormir. Ou talvez não tivesse nem chegado a acordar.

Talvez estivesse, desde o início, sonhando. Um pesadelo horrível.

E no dia seguinte isso não se repetiu.

Mas, na tentativa de se ater a um horário fixo na ingestão do remédio, às vezes ficava acordado além do tempo de praxe e se pegava de fato grogue, ou não exatamente grogue, mas com uma percepção diferente das coisas ao redor, um entorpecimento de parte do cérebro.

E, pela manhã, tinha as mãos dormentes.

No começo, achou que fosse coincidência, um mau jeito do corpo durante o sono, o braço muito tempo na mesma posição desfavorável. Depois chegou à conclusão de que não havia coincidência capaz de explicar tantos dias seguidos de mãos dormentes. Os dias se transformaram em semanas, compridas, demoradas, depois das quais isso também passou: o corpo se ajusta.

Mas a alteração da realidade após a ingestão do remédio não passou. Os dias se transformaram em semanas, as semanas se transformaram em meses, compridos, demorados, depois dos quais Sérgio decidiu se ajustar ele próprio, empurrando o horário do remédio mais para a frente, deixando pouco intervalo de tempo possível para sentir aquele barato obrigatório que o deixava em realidade assustado, não com as circunstâncias do momento específico, mas com a impressão terrível de que aquela droga potente que o estava salvando também o estava destruindo.

Drama?

Ele achava que não.

Mas procurava desviar o pensamento e, na maior parte do tempo, conseguia.

A bem da verdade, se o remédio também o estava destruindo — e estava, ele tinha certeza —, tratava-se de um mal de longo prazo. E os longos prazos sempre lhe pareceram algo fictício.

Depois de iniciado o tratamento, a bem da verdade, a vida aos poucos se mostrou inusitadamente normal, as visitas à médica agora mais espaçadas, os gânglios do pescoço em realidade desaparecendo de súbito, o corpo reagindo não apenas no que ele podia ver ou tocar, mas também no mistério intangível dos números dos exames, a carga viral de repente zerada, o CD4 de repente elevado.

A bem da verdade, tirando o drama, ou o medo de longo prazo, essa ficção, o dia a dia não revelava contratempos.

A vida, como sempre lhe coube, continuava.

E Sérgio não podia negar que tudo lhe parecia surpreendentemente normal.

III | TRILHA

"Primeira regra para quem quer fazer trilha: levar na mochila apenas o necessário. Lembre-se de que, independentemente da paisagem, a mochila fica mais pesada à medida que caminhamos." (CAMPOS, I. Manual do trilheiro. São Paulo: Facha, 2012, p. 9.)

3 KM

ESTAVA CAMINHANDO. AS COISAS estavam. Caminhando. A dona da galeria havia concordado com a exibição de quase todas as telas, na disposição sugerida por Sérgio, com o título sugerido por Sérgio, o convite ficara mais ou menos o que ele havia planejado, e Bel sempre se mostrava disponível para suas observações, volta e meia aparecendo no apartamento para jogar conversa fora e, de quebra, acompanhar a conclusão da última tela, que só não estava concluída porque o prazo permitia e, permitindo, Sérgio o usava até o limite.

Bel gostava de conversar, o que poderia ser desagradável mas não era, e gostava de emitir opiniões, o que poderia ser péssimo mas não era. Também tinha o hábito de visitar sem se fazer anunciar, o que, para surpresa de Sérgio, era recebido com entusiasmo cada vez maior. Ela se sentava na poltrona gasta de couro vermelho com o tablet que sempre mantinha ao alcance da mão, estudava a tela por alguns segundos e corria os olhos à volta.

Hoje não era exceção.

— Esse apartamento precisa de plantas.

— Não sei cuidar.

— Vou te dar um cacto. Só precisa de oxigênio.

— Aqui falta.

Ela sorriu, fez uma anotação rápida no tablet, abriu o Safari.

— Animado? — perguntou. — Faltam duas semanas.

— "Animado" é uma palavra que uso com moderação.

— Hum — murmurou ela, como se não tivesse ouvido a resposta ou como se preferisse deliberadamente ignorá-la, os olhos ainda fixos na tela, sobre a qual digitava rápido depois se limitava a contemplar. Era como se não estivesse participando do diálogo, mas estava. — Eu, por minha vez, animadérrima. Talvez porque não seja minha exposição, sabe como é?

— Não sei. Sei?

Sérgio se sentou de frente para ela, acendeu um cigarro e conferiu as notificações do celular: mensagens de Joyce, mensagens do grupo de faculdade que ele havia se esquecido de silenciar outra vez, mensagem de MACHO para MACHO, mensagem de 39 ANOS, mensagem de Turista de boa, mensagem de Turista de boa, mensagem de Turista de boa. Largou o aparelho no braço da poltrona e suspirou.

Bel ergueu os olhos do tablet.

— Cansado, more?

— Só um pouco. Da vida.

Ela estendeu a mão na direção dele. Por um instante, ele achou que ela fosse tocá-lo. Ela indicou com a cabeça o cigarro.

Ele passou o maço para ela.

— Quer acender um beque?

— Só se você quiser.

Sérgio espreguiçou o corpo antes de se levantar. Pegou na estantezinha ao lado do cavalete o desbelotador, a seda, a maconha, pegou a bandeja de madeira que usava para jantar de frente para a televisão e preparou sobre ela rapidamente o baseado, acendendo-o também rapidamente, como se fugisse. Ou como se tivesse pressa de chegar. Deu duas tragadas seguidas, ininterruptas, o baseado preso entre o polegar e o indicador, e estendeu-o afinal para Bel, que lia absorta algo no tablet mas interrompeu a leitura para receber o cigarro entre o indicador e o médio.

— Tanta gente louca — comentou, depois de soprar a fumaça.

— Vontade de desaparecer dessas mídias sociais.

— A ignorância alheia?

Ela devolveu o baseado, os olhos ainda fixos no tablet. Ele deu mais duas tragadas ininterruptas e ficou observando Bel, a cabeça raspada, a pele muito branca, os óculos de armação grossa quase previsível, mas que nela parecia de algum modo original.

Ela sacudiu a cabeça.

— É triste, viu? Faz mal.

— O inferno são os outros.

— E são tantos outros! Juro, ando tão desacreditada da humanidade que quando vejo alguém carregando uma bolsa da Saraiva fico até emocionada.

— Mal sabe você que ali dentro tem um livro de autoajuda.

— Economia doméstica.

— Como aumentar seu valor no mercado de trabalho.

Ele sentiu o celular vibrar. Pegou o aparelho por hábito, sem querer de verdade pegá-lo. Mensagem de DISCRETO. A tela escureceu, mas logo se acendia novamente. Mensagem de DISCRETO. Mensagem de DISCRETO. Ele digitou o código que desbloqueava a tela, entrou no Aplicativo sem querer de verdade. Por hábito. Clicou sobre DISCRETO:

Opa

Boa tarde

Blz?

Conferiu a fotografia: um ombro que não revelava nada, que poderia ser o ombro de qualquer pessoa, um ombro que poderia ser uma paisagem. Conferiu as informações: 1,75 m, 80 kg.

Deu uma longa tragada e clicou sobre Turista de boa:

Co'r

Coé*

De onde?

Conferiu a fotografia: um jovem de braços tatuados.

Soprou a fumaça e jogou a cabeça para trás, deixando o celular novamente na poltrona. Depois voltou a observar Bel, a pele muito branca, sem marca nenhuma.

— Você não tem tatuagem.

— Medo — respondeu ela, os olhos sempre fixos no tablet.

Ele estendeu o baseado.

— Medo da dor?

— De precisar ficar explicando significado.

Ele sorriu um esboço de sorriso e voltou os olhos para o cavalete, onde a tela estava pronta e não estava. Sempre faltava um detalhe. Uma pincelada. Porque ele tinha tempo e porque era a última tela da exposição, o que lhe dava uma ansiedade que não o deixava querer abandoná-la, embora "querer" não fosse o verbo. Era necessário continuar pintando.

A bem da verdade, não à toa as outras telas ficavam cobertas: se voltasse a olhá-las, ele sentiria o impulso de seguir pintando todas. Era o infinito. E não era bom.

Ainda entretida no tablet, Bel perguntou:

— O que é pior: praticar esporte ou gente que adora praticar esporte?

— Praticar esporte. — Ele voltou os olhos para ela, sorrindo um esboço de sorriso. — Então a brincadeira é essa?

— Como?

Sérgio se sentia leve, a leveza dos primeiros minutos. Jogou a cabeça para trás e fitou o teto como se procurasse alguma coisa ali.

— O que é pior: ignorância ou conhecimento com presunção?

Ela o encarou.

— Hum. Difícil. Passo. Posso passar?

Ela deu mais uma tragada, soprou a fumaça e ficou olhando o rosto dele, como se procurasse alguma coisa ali.

Depois de alguns instantes que pareceram horas, perguntou como se tateasse:

— Na relação o que é pior: sexo sem tesão ou abraço sem carinho?

— A relação.

Ela sorriu um esboço de sorriso, mas era um esboço de sorriso contrariado.

— Ai, essa sua bobagem. — Encarou-o. — Na relação o que é pior: sexo sem tesão ou abraço sem carinho?

— Sexo sem tesão.

Ela estendeu o baseado.

Ele recusou. Estava bem. Ou antes não queria se exceder. Queria a loucura com rédea. A loucura com cerca. Essa contradição. Voltou os olhos para a televisão desligada.

Ela guardou o tablet na bolsa e se levantou.

— Boca seca. — Cruzou o cômodo sem pressa, em direção à cozinha. — Água.

Ele abriu um esboço de sorriso e se espreguiçou antes de pegar o celular. Por hábito. Respondeu às mensagens de Joyce, que avisava que iria ao cinema depois do trabalho, silenciou o grupo de faculdade. Clicou sobre 39 ANOS:

Tb

Conferiu as fotografias recém-enviadas: um homem de 39 anos, ou um pouco mais, na frente do Big Ben, na frente da Notre Dame, enrolado na toalha, num banheiro de azulejos beges.

Se entrasse senso crítico na avaliação das fotografias, ele talvez suspirasse, talvez com um sorriso de canto de boca, um sorriso que mostrasse enfado. Ele talvez bloqueasse 39 ANOS. Mas não entrava senso crítico na avaliação das fotografias. Ou antes o senso crítico que se impunha ignorava o Big Ben, ignorava a Notre Dame e a toalha enrolada e se fixava no rosto, no corpo.

39 ANOS estava on-line.

Sérgio consultou o relógio, calculando a hora que Joyce chegaria em casa. E digitou:

A fim?

Ouviu Bel fechar a porta do banheiro. E clicou sobre MACHO para MACHO:

Eae

Conferiu a fotografia: um garoto de vinte e poucos anos, na beira de uma piscina, de costas.

Sérgio digitou:

Blz?

Imediatamente, MACHO para MACHO digitou:

Blz

E vc?

Sérgio digitou:

Tranq

A fim de quê?

MACHO para MACHO digitou:

Curtir

E vc?

Sérgio digitou:

Tb

Rosto?

MACHO para MACHO enviou uma fotografia: um garoto de vinte e poucos anos, na beira de uma piscina, o rosto voltado para a câmera.

E digitou:

Vc?

Sérgio mandou uma fotografia.

MACHO para MACHO digitou:

Gato

Bel saiu do banheiro, surgiu no quarto rebatizado de ateliê com os olhos vermelhos da maconha.

— Estou tão chapada. — Encostou no peitoril da janela. — Fiquei lá no banheiro, nem sei. Que louco espelho, né? Que louco o olho. Que louco movimento. Nossa.

Sérgio abriu um esboço de sorriso, que Bel retribuiu antes de consultar o relógio.

— Preciso ir para casa, a Silvia já deve estar chegando.

— O amor da sua vida. Por ora.

— O amor da minha vida.

— Esse clichê. Sei como é. Você é a única mulher do mundo para ela.

— Não. Mas sou a mais importante.

Bel pegou a bolsa na poltrona e deu um beijo no rosto dele, bagunçando seu cabelo. Antes de desaparecer no vão da porta estalou outro beijo no ar.

— Tchau, more.

Ele piscou o olho para ela, depois ficou ouvindo os passos se perderem no corredor, a porta bater, então o silêncio que nunca era de fato silêncio naquele apartamento no centro do mundo. Havia uma criança chorando a distância, havia um cachorro latindo a distância, havia uma máquina de serraria ou algo parecido guinchando a distância. O trânsito que não parava.

Sérgio se levantou, fechou a janela, a cortina, foi para a cozinha, abriu o armário, a geladeira, tomou um copo d'água e se dirigiu à sala, onde ligou a televisão sem querer de verdade ligá-la. Por hábito.

Passeou pelos canais sem se fixar em nenhum e tirou o som do aparelho. Conferiu o celular. Mensagem de MACHO para MACHO. Mensagem de 39 ANOS. Mensagem de 39 ANOS.

Clicou sobre MACHO para MACHO:

Tem local?

Clicou sobre 39 ANOS:

Bora

Tô livre às oito

Clicou novamente sobre MACHO para MACHO e digitou:

Tenho

.

Quando Joyce chegou em casa, Sérgio estava deitado no sofá, lendo o brutal livro de contos de uma autora argentina que ele havia comprado pelo método de tentativa e erro, que era seu método de comprar livros. Ele levava em consideração o texto sobre o autor e a primeira página, lida com o máximo de atenção na livraria, embora sua capacidade de atenção diminuísse em proporção ao número de pessoas que se achavam à sua volta.

O método de tentativa e erro dava margem a boas surpresas como a atual coletânea de contos da autora argentina, que ele lia se admirando com sua capacidade de se admirar, levantando-se entre um conto e outro para assimilá-los, para separar as histórias, deixando assentá-las enquanto comia uma maçã ou alimentava os peixes do aquário. Mas também dava margem a frustrações desagradáveis como o livro anterior, romance de fim de vida de um autor americano que certamente havia perdido a mão com o passar do tempo. Segundo Joyce, os artistas tinham um pico de criatividade que durava alguns anos e depois minguava.

Em seus momentos sombrios, Sérgio temia que seu próprio pico criativo como pintor tivesse ficado para trás, interrompido pelos anos em que ele havia se dedicado ao design, trabalhando em tempo integral num "emprego de verdade", como queria sua mãe. Nos momentos mais otimistas, esperava que a interrupção tivesse mantido intacto seu potencial criador, que ele agora estaria retomando de onde o deixara.

Joyce se sentou no sofá e suspirou.

— Ai, gente.

— Bom o filme?

— No diminutivo. — Ela pegou o livro que ele havia deixado de lado, estudou a capa. — Mas também não estou num bom dia.

— A vida pesando?

— Nem sei. Acho que não. Cinema no meio da semana, com pessoal do trabalho. Yay.

Sérgio a fitou.

— Tão azeda.

— Nem fala. Azedume é meu sobrenome. Ou é o dia. É isso, sim. É o dia. Mas aconteceu o seguinte na saída do cinema: quando a gente estava atravessando a rua, Amanda e Lavínia ficaram para trás, o Carlos me puxou pela manga da blusa e fiquei com a voz embargada. Achei aquilo de uma intimidade.

Sérgio olhou dentro dos olhos dela, o professor de ensino médio fitando a aluna espantosa.

— Joyce, você chupou o cara na semana passada.

— Não é bizarro? Agora imagina se ele me dá a mão.

— Você cairia no choro.

— Só de pensar sinto o corpo tremer.

— Carência?

— Síndrome do pânico.

Ele apertou a bochecha dela como se ela fosse uma menininha.

— Você está apaixonada?

Ela bufou.

— Só se for pelo meu analista.

Ele olhou dentro dos olhos dela, o professor de ensino médio, sério.

— Você está apaixonada?

— Na semana passada eu estava bêbada, Sérgio, com tesão. Mentira. Estava bêbada. E me arrependo ferozmente, você sabe. — Ela soltou uma risada curta, sem humor. — O cara tem noiva, é anacrônico a esse ponto. Tem aquele ar compenetrado pavoroso de quem está sempre fazendo alguma coisa importante. Sempre envergando o jacaré da Lacoste, o cavalinho da Ralph Lauren. Pelo amor de Deus, me dá mais crédito do que isso.

Ela revirou o livro na mão, alisou a capa, abriu-o na página em que a leitura havia sido interrompida, o marcador de girassóis que dera para ele havia alguns meses, talvez anos. Os girassóis já embotados. Ou quem sabe era impressão.

— Eu estava bêbada. Jurava que seria salva pela minha amnésia etílica de fé. Mas nem isso.

— Não se pode confiar em nada.

Ela voltou os olhos para ele, a aluna de ensino médio insubordinada.

— De qualquer maneira, sexo não tem nada a ver com intimidade. A gente sabe disso.

Sérgio assentiu.

Era verdade, ele sabia: a mão que toca o rosto é mais íntima do que a mão que toca o pau.

Ela tirou os sapatos de salto alto, deixou o livro sobre a mesinha de centro e apoiou ali os pés, as unhas pintadas num vermelho que era quase o vermelho dos sapatos.

— É só um dia ruim — frisou.

— Amanhã passa.

— Quem nunca?

— Eu sempre.

— Você para.

Ela recostou a cabeça no sofá, jogando o cabelo para trás. Estava cansada, um cansaço acumulado de sexta-feira, embora ainda fosse quarta.

— E seu dia? — perguntou, esforçando-se para a voz ser mais do que apenas um murmúrio. — Bom?

— No diminutivo.

— Pintou bastante?

— O sete.

Ela revirou os olhos, entre divertida e enfastiada.

— Moço inédito?

— Sou contra reprise.

Ele tamborilava os dedos no braço do sofá, apenas o indicador e o médio, num ritmo nervoso.

Ela armou o ataque, entre divertida e enfastiada.

— Você às vezes reprisa.

— A gente não tem controle sobre tudo. E às vezes a programação está fraca.

Ele interrompeu o movimento dos dedos.

Ela manteve o simulacro de ataque, arma numa mão, na outra um lenço branco.

— É estranho porque você adora repetir algumas coisas. Repetir restaurante, repetir conversa. — Olhou dentro dos olhos dele, pesando a arma e o lenço. — Você é um ser humano singular.

Ele retribuiu o olhar, nu de defesa.

— Acho essa afirmação cada vez mais discutível.

— Que você é singular?

— Que sou um ser humano.

Ela olhou dentro dos olhos dele.

— Você para.

Houvera um momento naquele fim de tarde, quando estava com MACHO para MACHO, em que, ao contrário do que pregava — que na hora do sexo tudo o mais evapora, o sexo como anteparo de pensamentos, como remédio até para ansiedade —, Sérgio se pegou pensando no jovem que ele próprio havia sido. E pensou no jovem que havia sido em contraponto ao adulto que era. A antiga certeza voraz de que o conhecimento era um objetivo infinito contra a atual convicção de que conhecia pouco e bastava, a antiga vontade de se expandir num mundo sempre misterioso contra a quase bem-vinda sensação atual de endurecimento, o conforto no moto-contínuo de ações engessadas.

Pensou que quando jovem sentia-se sempre verde para tudo, inepto. E agora havia aquela sensação de posterioridade. Antes ele não estava pronto, agora se encontrava no estado semicansado que vinha depois do pronto. Não se lembrava de um período intermediário, que, se existira de fato, fora breve a ponto de não marcar.

Ou então era sua memória seletiva, sempre uma possibilidade — a memória volúvel que priorizava, confundia, editava, volta e meia obrigando-o a aceitar que em realidade não se conhecia. Era uma sensação angustiante. E inusitadamente redentora. Saber-se indigno de confiança.

Ele encarou Joyce, o aluno de ensino médio insubordinado, os papéis trocados.

— Difícil parar quando a gente pode continuar.

Ela retribuiu o olhar, pesando a arma e o lenço.

— Você exige paciência — disse, mas disse com uma piscadela.

— Entre outras virtudes.

Ela se endireitou no sofá e correu os olhos à volta como se estudasse a sala. Como se aquela não fosse sua sala. Jogou o cabelo novamente para trás e pegou na mesinha de centro o livro do Alair Gomes de Sérgio, os rapazes de corpo atlético registrados pela lente de um apaixonado por rapazes de corpo atlético.

Ele continuava encarando-a.

— Você está sem paciência, amor da minha vida seca?

— Entre outras virtudes — respondeu ela, mas respondeu com um sorriso, um esboço de sorriso.

Então ergueu afinal de todo o lenço branco, a professora benevolente: apertou a bochecha dele como se ele fosse um menininho.

— É só o dia, a gente sabe, amanhã passa.

— Quem sabe hoje, depois de um banho?

— Quem sabe?

— Depois do jantar que vou pedir para nós no restaurante que gosto de repetir.

— Quem sabe?

Ele pegou o celular.

Ela abriu o livro do Alair Gomes, folheando-o com alguma indiferença.

— A coisa mais pura das bichas é o fascínio delas pelo corpo masculino.

— É minha ideia de amor verdadeiro.

Sérgio acendeu a tela do celular e conferiu as notificações. Havia uma mensagem de Bel. Muitas mensagens do grupo Família. Duas mensagens de Rafael Trigo. E as mensagens do Aplicativo: Encolha, Casal procura e SUNGA.

— Peço o de sempre?

— Não seríamos nós se você não pedisse o de sempre.

Ele ligou o celular e fez o pedido rapidamente, os polegares trançando a tela do aparelho de maneira mecânica, o assunto resolvido em questão de segundos. Ou no que pareceram segundos.

Joyce se levantou, pegou no chão os sapatos, um de cada vez, como se colhesse uma planta de difícil extração, e se arrastou para o banheiro, de onde Sérgio a ouvia cantar embora não ouvisse bem a ponto de saber qual música.

Sozinho na sala, não entrou no Aplicativo. E havia nisso um gesto deliberado: não entrar no Aplicativo era em si uma ação, algo que exigia intenção. Respondeu à mensagem de Bel, conferiu o que a família tinha a dizer, mandou um coração em reação à fotografia do sobrinho. Depois clicou sobre Rafael Trigo:

E aí lindão

Sumiu

O número de telefone de Rafael Trigo não constava na lista de Sérgio.

Ele clicou sobre a fotografia: moreno, casa dos trinta anos, sorriso de uma franqueza que sugeria inocência, embora nunca se soubesse. Quem vê cara, aquela história.

Rafael Trigo era gato, queria sem dúvida reprise. E, por mais que revirasse a memória, Sérgio não fazia ideia de quem fosse.

1,5 KM

Porque as coisas estavam caminhando (os convites haviam sido enviados, mala-direta, e-mail, a burocracia da divulgação e seus tentáculos, a exposição começando a figurar na programação dos cadernos culturais, as telas todas já transportadas para a galeria) Sérgio se sentia ansioso. E, ansioso, procurava se ocupar com coisas às quais numa semana normal jamais se dedicaria. Pela necessidade de estar em movimento. Para ver caminhando algo tangível, material.

Por isso se entregou à sempre protelada arrumação da estante da sala. Removeu os livros, escovou-os, tirou o pó das prateleiras e se pôs a organizá-los: peças de teatro na lateral direita, os poucos volumes de poesia entre os aparadores de Joyce, ensaios e biografias entre um boneco do personagem de uma série televisiva e o táxi amarelo de Nova York. Cogitou separar literatura brasileira e estrangeira, cogitou separar romances e contos, mas optou afinal por mantê-los juntos, limitando-se a botá-los em ordem alfabética, o que dava trabalho, mas era um trabalho bem-vindo. Era o propósito. Às vezes folheava os livros à procura de trechos marcados, surpreendendo-se com a raridade com que os havia marcado.

Sim, era indigno de confiança como narrador de si mesmo.

E talvez porque a mente precisasse espelhar o afã das mãos, a diligência que ocorria na sala, o movimento exterior não bastando, talvez porque entre os livros havia um volume sobre o cinema do Tarantino e isso o fez se lembrar de Vinicius, o rapaz de meses antes (ou eram anos? pareciam décadas) — embora a bem da verdade ele não precisasse ver o livro sobre o cinema do Tarantino para se lembrar de Vinicius (porque pareciam décadas mas também era como se tivesse sido ontem, porque de algum modo uma parte dele havia parado ali) —, talvez porque a questão tivesse sido considerada apenas de leve uma semana antes e agora exigisse desenvolvimento, com mais aplicação, Sérgio pensou na sensação despertada naquele fim de tarde quando estava com MACHO para MACHO, quando temeu ter saltado de um estado em que era verde para tudo, inepto, para um estado semicansado de posterioridade, sem período intermediário. E pensou que Vinicius era uma prova da existência desse período intermediário, talvez o fim dele.

Certamente o fim dele.

Folheando o livro sobre o cinema do Tarantino, pensou que, embora volta e meia jogasse pelo menos parte da culpa desse estado semicansado de posterioridade nas relações mecânicas de seu tempo, na excitação enlatada do Aplicativo e sua saciação domesticada, na categorização que a despeito de si mesmo ele fazia dos caras do Aplicativo, uma categorização que enquadrava todos em condições estanques a partir de idade, foto, texto de apresentação e tipo de abordagem, categorização que às vezes, ainda pior, era substituída pela alocação de todos num saco único de superficialidade, de previsibilidade e mediocridade (a condição humana, sem condição; a natureza humana, essa bestialidade), no fundo ele sabia que o Aplicativo era o lugar do superficial, do previsível e medíocre, ele próprio ali apenas mais do mesmo, com sua idade, sua foto, seu texto de apresentação e tipo de abordagem. Sabia que o Aplicativo era uma ferramenta, meio para atingir um fim.

O fim que se quisesse.

Pensou que, com Vinicius, pela primeira vez de forma muito concreta, ele havia chegado a uma conclusão que antes era apenas uma intuição difusa, uma ideia cercada de medo e nebulosidade, a formação de hipóteses que sugeriam uma queda para além do chão, uma abertura para o impacto de uma realidade mais real, desamparo, vulnerabilidade, um lugar à mesa de jogo com cartas ruins, cartas condenadas, o terror labiríntico cujo cerne apenas raramente ele avizinhava de fato, a embrulhada da decisão sobre A HORA DE CONTAR, a melhor, a menos pior, uma espécie de volta à adolescência, quando o segredo era outro, mas também agora o armário grávido de uma notícia que trará crise (ou não, mas para isso era preciso acreditar, ter um tipo de fé no próximo, que ele não tinha), a possibilidade de rejeição e seus terremotos, o pânico de, não havendo rejeição (e não, ele não conseguia acreditar, mesmo em seus melhores momentos, numa reação positiva àquela exigência imediata inflexível), o pânico de um sexo fadado ao medo, o playground minado, mais cerca do que campo, mais grade do que janela, a paisagem comprometida.

Com Vinicius ele havia chegado à conclusão cristalina de que com aquelas cartas condenadas preferia se abster do jogo porque, embora sempre fosse uma aposta sentar-se à mesa, fosse com um royal flush, fosse com um par de setes, agora ele se sentia previamente solicitado a mostrar sua mão, desnudando a ferida de cicatriz incerta, expondo-se à avaliação do adversário no início da partida.

Pensou que, ao preferir se abster do jogo, ele havia instaurado uma limitação.

Uma anomalia.

Pensou que o problema não eram as relações mecânicas com prazo de validade estabelecido.

Era se permitir apenas isso.

Pensou que se permitir apenas isso não poderia render nada além daquele estado semicansado de posterioridade.

Guardando o livro sobre o cinema do Tarantino, pensou que já chegava de pensar.

Estava irritado.

A mente acelerada.

Deixou no chão os livros que ainda restavam para guardar, como se eles lhe tivessem dirigido uma ofensa indesculpável, seguiu às pressas para o quarto com uma aflição que sugeria uma emergência médica, um voo com hora de embarque impossível, vestiu a calça de moletom cinza e a camiseta branca que já se achavam penduradas no encosto da cadeira, calçou os tênis vermelhos que já estavam na posição de ser calçados, junto à cama, e saiu para a rua.

Para caminhar.

.

Quando Sérgio voltou para casa, Joyce contemplava a estante, os livros que haviam ficado no chão agora também devidamente guardados, um copo grande de um líquido vermelho grosso na mão, ouvindo uma música da adolescência deles, uma música antiga.

— Estou impressionada com sua eficiência.

— Quando não esperam nada de mim, eu impressiono.

Ela voltou os olhos para ele, sem vê-lo.

— Por ordem alfabética! Se eu já não te amasse, teria caído de amor hoje.

— Você se deixa seduzir fácil.

Ela o encarou, um brilho travesso nos olhos.

— Muito. Atualmente eu me apaixono por ausência. Se ele *não* palita os dentes. Se ele *não* sofre de ejaculação precoce. Se ele *não* escreve com erro de português.

— Às vezes você ignora os erros de português.

— Às vezes eu ajudo a palitar os dentes.

Ele abriu uma metade de sorriso.

Ela voltou os olhos para ele, vendo-o.

— Você está cansado.

— Há uns trinta anos.

— Ai, esse teatro. Isso é tão outro capítulo.

Ele abriu um sorriso inteiro, obrigando-se.

Dirigiu-se ao sofá, onde havia deixado o telefone. Conferiu as notificações: mensagens de Bel, mensagens do grupo Família, mensagens de seu irmão, mensagens de Pra jogo, Sigilo, CURIO-SO, Novinho, s/local e 30 ANOS.

Largou o celular no braço do sofá e indicou o copo na mão dela.

— Vodca?

— Suco de melancia com gengibre. Estou saudável assim. — Ela se sentou ao lado dele, passou a mão na cabeça dele, afastando o cabelo do rosto. — Dia difícil?

— Mais um entre mil.

Ela revirou os olhos, mas havia no gesto paciência.

Ele indicou a caixa de som.

— Nossa epocazinha.

— Estou nostálgica assim.

Os dois se mantiveram em silêncio, ouvindo a música nervosa, uma das poucas músicas nervosas do álbum.

Joyce balançava a cabeça, o cabelo vermelho batendo no rosto, escondendo-o, revelando-o, escondendo-o.

— É como se eu estivesse na sala da casa dos meus pais, aos quinze anos.

— Que pesadelo.

— Sem dúvida. — Ela parou de balançar a cabeça. — E que saudade. — Jogou o cabelo para trás, prendeu-o com um nó. —

Ando assim meio descompensada: ora circo, ora pronto-socorro, ora diazepam, ora algodão-doce.

Ele abriu um sorriso inteiro, espontâneo.

— Nossa epocazinha — repetiu, num murmúrio.

— Daqui a pouco vem a quinta do Beethoven.

— Já estou pronto para a sequência de polca.

O celular vibrou no braço do sofá.

Sem conferir a notificação, ele deixou o aparelho sobre a mesinha de centro, ao lado do convite do vernissage, que segurou sem querer segurar por alguns instantes, contemplando-o, o título da exposição sobre a tela, a primeira que ele havia pintado, naquele azul Yves Klein que parecia o fundo perfeito para qualquer título, mas sobretudo para aquele título, PÉROLA, na previsível cor pérola que a princípio o incomodaria mas não o incomodou depois que o projeto ficou pronto, a letra de forma simples, exata.

— Ansioso? — perguntou Joyce.

— Não. Ansiedade é o que eu sinto quando preciso escolher tinta para pintar parede. — Ele se recostou no sofá. — Isso aqui é desespero. Fobia social em grau dez.

— Você é tão sociável.

— Numa mesa com duas pessoas. Você incluída.

— Ai, uma declaração de amor.

O celular vibrou novamente, o barulho pronunciado sobre o tampo de vidro da mesinha de centro.

Ele conferiu as notificações. Soltou um suspiro carregado, um suspiro com peso, voltando a se recostar no sofá.

— Família? — perguntou Joyce.

— Marrento Versátil — respondeu ele.

— Deus.

— Onde?

Joyce o encarou, um brilho travesso nos olhos.

— Acho que eu deveria responder por você.

Ele abriu uma metade de sorriso.

— Por favor. Ninguém sabe dar a resposta certa, a resposta errada certa, como você.

— Ai, uma declaração de amor.

— Está na hora de você retribuir.

— Meu amor quer elogio?

— Minha mãe me deixou mal acostumado.

Ela se deteve, pareceu refletir.

— Ninguém sabe escolher tinta de parede como você.

Ele abriu uma metade de sorriso.

Ela pegou o celular, digitou a senha conhecida, a data de nascimento dele, mas precisou de ajuda para localizar o Aplicativo, precisou de ajuda para localizar as conversas. Conferiu as mensagens que ainda não haviam sido respondidas, os perfis de cada uma delas: Pra jogo, Sigilo, CURIOSO, Novinho, s/local, 30 ANOS e Marrento Versátil.

— Gostei do 30 ANOS.

— É todo seu. Até ser meu.

— Ele está perguntando "a fim de quê".

— E você vai responder...

— "Dois dedos de uísque com gelo."

Ele abriu um sorriso inteiro, obrigando-se.

Ela digitou a resposta, mas não enviou. Encarou a tela, meditativa.

— Rock'n'roll demais, né? Pode passar a imagem errada, a imagem certa errada. Vou escrever: "Sessenta dias de férias remuneradas."

Ela demorou alguns instantes para enviar a mensagem, lendo-a, relendo-a, como se aquilo fosse um sério assunto de Estado, como se fosse importante.

Ele ligou a televisão, sem som, e se pôs a passear pelos canais: competição de vôlei de praia, luta livre, ataque terrorista, receita de paella, reprise de novela, série policial, série de comédia, homens pescando, homens escalando e afinal uma apresentação de dança, na qual ele se deteve.

— 30 ANOS respondeu! — exclamou Joyce.

Ele se aproximou dela, encostou a cabeça em seu ombro, dividindo o olhar entre a tela do celular e a tela de televisão.

30 ANOS havia escrito: "Hahahaha vc tem humor".

Joyce respondeu: "Não, mas minha amiga que está digitando tem".

Ele abriu um sorriso inteiro, espontâneo.

Pausou o álbum da época deles e ligou o som da televisão, admirado com o gestual da dança, a delicadeza, o esforço que não se via para fabricar a delicadeza.

30 ANOS escreveu: "Hahahaha bom, amiga do cara, me conta aí alguma coisa do cara".

Joyce se deteve por alguns instantes antes de responder: "O cara é ótima pessoa, mas sou suspeita para falar porque sou amiga do cara".

Ele alisou a perna dela.

30 ANOS escreveu: "Vou acreditar. Pq você me parece ótima pessoa e acho que não seria amiga de alguém que não fosse".

Joyce disse:

— Que crédulo.

E escreveu: "Sabe aquela de que os opostos se atraem?"

30 ANOS respondeu: "HAHAHAHAHAHAHAH".

Joyce disse:

— Bem-humorado.

Sérgio abriu uma metade de sorriso. Uma metade de sorriso espontâneo.

30 ANOS escreveu: "O que o cara faz da vida?"

Ela olhou para ele, incerta sobre o que responder.

— Designer?

Ele assentiu, os olhos cada vez mais fixos na televisão, admirando a correção dos movimentos em resposta à música, a música uma diretriz para a qual não parecia haver outra possibilidade, como se o movimento fosse voluntário, como se o movimento não tivesse outro jeito de ser.

Ela escreveu: "Designer. E vc?"

30 ANOS respondeu: "Sou músico".

Ela disse:

— Artista. Bem-humorado. Crédulo. Está me parecendo perfeito.

Sérgio soltou um suspiro simulado, um suspiro sem peso.

— Perfeição, esse defeito grave.

Ela revirou os olhos, mas havia no gesto paciência.

Escreveu: "Vc compõe?"

30 ANOS respondeu: "Mas não mostro".

Ela disse:

— Modesto.

Ele voltou os olhos para a televisão.

— Ou consciente.

30 ANOS escreveu: "Mas me diz, amiga do cara, o que o cara curte fazer. Nas horas vagas".

Joyce soltou o nó do cabelo, sacudiu a cabeça, ajeitando-o.

E respondeu: "O cara curte teatro. O cara curte cinema. E o cara curte ler".

— Não — objetou Sérgio, antes que ela enviasse a resposta, interrompendo o gesto como se aquilo fosse um sério assunto de Estado, como se fosse importante. — Está indoors demais.

— Você é indoors.

— Ele não precisa saber. — Uma mentirinha. Inofensiva. Mais uma. Além dos cinco anos a menos na idade. Além do filtro lisonjeiro na foto. — Trilha — sentenciou.

Ela sorriu antes de escrever, fazendo a substituição improvável, obediente.

E acrescentou: "E você?"

Educada.

30 ANOS respondeu de pronto, mas Sérgio já não prestava atenção, os olhos agora fixos de vez na televisão, admirando o gestual minimalista perfeito, as pausas perfeitas, os corpos perfeitos dos bailarinos, corpos que o exercício da dança havia deixado perfeitos para a apresentação da dança.

Quando o espetáculo terminou, ovacionado, os bailarinos trocaram doces sorrisos cúmplices de satisfação, de trabalho cumprido, mas talvez também de uma satisfação maior, a certeza de que acabava de acontecer algo grande.

— Prepare-se para fazer a trilha da sua vida — anunciou Joyce, largando o celular sobre a mesinha de centro. — Mas agora é com você. O moço deixou o número de telefone.

— Tão eficiente elazinha — brincou Sérgio.

— Eu impressiono quando não esperam nada de mim.

— Eu espero o mundo de você.

— Sua ideia de mundo é equivocada.

⋮

Antes de dormir, já na cama, apenas a luminária verde da mesinha de cabeceira acesa, Sérgio abriu o Aplicativo para conferir as mensagens que ainda não tinha lido, que apenas Joyce lera, conferindo as fotos de quem enviara as mensagens. Respondeu a todas, a todas que despertaram seu interesse, deixando-se aos poucos se excitar com as imagens, com as descrições, com as propostas, quando havia propostas. E geralmente havia. Mas não se excitando a ponto de aceitar uma delas.

Abriu o laptop e procurou no HD externo um vídeo pornográfico de sua produtora preferida, a produtora que um dia Joyce decretara "avant-garde", ao ver por curiosidade com ele trechos de uma cena de sexo grupal, sem a coreografia de praxe, sem o ângulo estudado de praxe, os homens agindo com a liberdade que era a marca da produtora.

Parece filme dos irmãos Dardenne, murmurara ela.

Sérgio adiantou um pouco o vídeo, novamente uma cena de sexo grupal, e começou a se tocar com uma calma que sugeria a inexistência de objetivo, como se tocar o próprio corpo fosse o fim.

No começo.

Depois o movimento da mão ganhou uma regularidade que sugeria percurso, que indicava propósito, os olhos antes vagos se fixaram com avidez na tela do laptop, onde homens de corpos imperfeitos, de corpos normais, se dedicavam exclusivamente à busca do próprio prazer, a câmera um detalhe esquecido, a câmera apenas uma ferramenta de testemunho do que acontecia ali, a descoordenação, a autonomia individual esboçando um desenho coletivo, o movimento voluntário, espontâneo, o movimento que não tinha outro jeito de ser.

Foi rápido.

Era rápido.

Ele deixou o laptop ainda exibindo o vídeo sobre a cama e foi se limpar no banheiro, detendo-se diante do espelho por alguns instantes, o suficiente para se reconhecer ali, pegou na cozinha um copo de água gelada, que deixou ao lado da luminária, sobre a mesinha de cabeceira, e ligou novamente o celular.

Leu a crítica de uma peça, leu a crítica de um filme, abriu o Aplicativo e leu a conversa que Joyce havia travado com 30 ANOS, achando novamente graça nas partes que eram engraçadas.

Na tela do laptop, a cena de sexo grupal chegava ao fim numa cadeia sequenciada de gemidos, seguida pela manifestação de uma camaradagem inusitada entre os homens, tapinhas nas costas, doces sorrisos cúmplices de satisfação.

Sérgio voltou os olhos para o relógio preto sobre os livros de arte, pegou o remédio no porta-comprimidos com divisória para os dias da semana e engoliu-o com metade do copo de água.

A conversa entre Joyce e 30 ANOS terminava com um número, um nome e uma promessa.

A promessa de que "o cara" o adicionaria.

O cara, ele.

O cara, um descumpridor nato de promessas.

Ele estudou a foto bonita do perfil e clicou no ícone de bloquear, o ícone que o fazia desaparecer.

O KM

PRIMEIRO ERA PRECISO DESACELERAR.
E desacelerar nunca foi fácil.

A noite havia sido uma luta de forças desiguais, o sono insuficiente para vencer a preocupação, cada poucos minutos de cochilo seguidos de intermináveis horas de uma aflição insidiosa, os olhos cravados no teto.

Ele se perguntava: Por que fui me meter nisso?

Mas sabia por quê.

Porque, embora fosse um sofrimento mostrar as telas, deixando-as entregues ao que parecia um estado de vulnerabilidade diante do apreço geral, ele próprio exposto com elas, a autoestima se esforçando para ficar na superfície mas afundando no lodo da dúvida, ele sabia que ainda pior seria pintar para guardar. Era na exposição das telas que o ato de pintar se completava.

Além disso, em maior ou menor grau de consciência, havia também na prática de mostrar as telas uma quase infantil necessidade de aprovação, a corrida em busca do título de Bom Menino, a conquista da medalha no concurso de artes da escola, uma espécie de vaidade obstinada que a bem da verdade o enchia de constrangimento, uma necessidade que abria em sua essência a temível possibilidade oposta de rejeição, de descobrirem que ele era uma farsa.

Pela manhã, Bel aparecera no apartamento, sem anúncio, como era de hábito, trazendo meia dúzia de cactos que ela própria dispôs nos cômodos, escolhendo a melhor posição, explicando que era preciso regá-los uma vez por semana no verão, uma vez por mês no inverno, apenas uma colher de sopa de água.

— Ao contrário de nós, criaturas insaciáveis — explicara —, eles precisam de pouco.

— Estou me identificando.

— Não se iluda.

Ela estava com pressa.

E tinha razão para estar.

Era inusitado que tivesse encontrado tempo no dia do vernissage para fazer esse agrado. Mas Bel tinha o que parecia ser um compromisso em se dedicar ao que era inusitado.

Sem jamais se separar do tablet, voltou os olhos para a telinha e abriu um sorriso.

— Confirmado o último crítico que faltava confirmar.

Sérgio a encarou com olhos que ele tinha certeza traírem toda a extensão de seu pânico, até onde o pânico virava insanidade.

— Minha ausência seria sentida? — brincou.

Mas brincou sério.

— Você vai tirar de letra — garantiu ela.

Ele tentou se agarrar às palavras, mas as palavras eram escorregadias, e ele tinha o peso da certeza em contrário.

— O que quero tirar de letra é meu plano de fuga.

— Eu te caço.

— Vai arrancar minha pele?

— Para expor com as telas.

— Faz isso agora?

Ela despregou os olhos do tablet e o encarou com a fisionomia incisiva da mãe que precisa controlar a birra do filho.

— Essa ansiedade não combina com você.

— Tem umas coisas de mim que destoam de mim.

Quando Bel se despediu, deixando em seu lugar um vazio que tinha a medida exata de sua presença contagiante, Sérgio desejou a volta de Joyce como se pudesse evocá-la pela simples força do pensamento, concentrado.

Joyce havia tirado o dia de folga, aparentemente fora à academia, mas estava demorando mais do que de costume, ele sabia: estava contando os minutos. E os minutos escorriam no ritmo inverso ao ritmo de sua agitação mental.

Ele cogitou mandar mensagem, telefonar, mas se conteve, embora se contivesse por um fio, andando pelo apartamento como um animal de porte grande demais para a jaula.

Precisava de companhia, alguém cujo silêncio fosse um aval constante de que tudo ficaria bem.

Quando Joyce chegou afinal, ele a recebeu com um alívio que beirava gratidão, uma recepção que talvez a tivesse deixado comovida, se ela estivesse num momento de se deixar comover, ou se ao menos estivesse prestando atenção, e não embalada pela satisfação de ter feito tudo que planejara, o rosto ainda ruborizado pela corrida de uma hora na esteira, bolsas de loja em ambas as mãos.

— Comprei umas roupas tão lindas que vou roubar a noite — anunciou, deixando as bolsas sobre a mesa, estendendo uma delas. — Mas também comprei um presente para você. Para você não fazer feio.

— Acho que não tem o que me salve disso.

Ele abriu o embrulho, uma camisa azul-clara que vestiu de imediato, avaliando-se no espelho.

Encarou Joyce.

— Eu existo sem você?

— Existe. Só que menos bem vestido.

Ela pegou uma segunda bolsa, menor, estendeu-a com um misto improvável de distração e urgência.

A bolsa — um saco plástico preto, sem identificação —, além de pequena, parecia também vazia, como se guardasse apenas a surpresa de não conter nada. Mas, desacreditado da possibilidade dessa surpresa, ciente de que Joyce seria incapaz dela, Sérgio cavou no fundo do saco a fugidia pecinha de cores duvidosas que por um instante manteve na palma da mão, tentando decifrar, como se tivesse diante de si uma equação de aritmética de difícil solução.

Voltou os olhos para Joyce deparando com o sorriso dela e só então, por causa do sorriso, que funcionou como um disjuntor que reconfigurava toda a realidade, esclarecendo-a, entendeu que se tratava de uma concha. Que dentro da concha havia uma pérola. Entendeu que era um enfeite. Para o aquário.

— Você existe?

— Uma partezinha de nada. O resto você inventa.

Ele se dirigiu ao aquário, deixou ali dentro a pecinha, acomodando-a de modo a lhe dar destaque, contemplando sua participação no arranjo geral, admirando as cores antes duvidosas se ajustando perfeitamente ao resto da composição.

Não o surpreendeu, mas poderia ter surpreendido, o fato de que os peixes não pareceram notar a presença do objeto estranho.

Joyce se sentou no sofá com as bolsas restantes e se pôs a abri--las com uma animação que ele invejou, ele que só sentia a comichão desagradável da aflição.

— Promete não sair do meu lado?

— Se você prometer meu lugar de destaque nas fotos.

As compras eram uma saia bege de tecido macio, uma blusa branca aparentemente do mesmo tecido e um par de sandálias de salto alto.

Ele se esforçou para encontrar uma brecha na aflição, para dividir a animação dela. Por ela.

— Vai arrasar.

— Quero ser pelo menos a mulher a quem os garçons mais oferecem canapés. — Ela estendeu as peças sobre o sofá, alisando-as. — Cogitei fazer a linha artística plugada mas desisti. Vou fazer a linha clássica putanesca de hábito.

Perdido em seus pensamentos, ele a encarou, perdida em seus pensamentos.

— Como será não ter medo?

— Um perigo. — Ela se mantinha absorta no gesto de alisar as roupas. — Acho que vou jogar um xale retrô, dar um toque vintage.

Ele sentiu aquela inveja inicial se desenroscar da posição contraída em que estava para estender sua matéria infecciosa sobre a animação que ele havia se esforçado em encontrar para acompanhá-la. Invejou-a porque dali a poucas horas ela não mostraria nada além do corpo, o corpo vestido com aquelas roupas bem escolhidas. Porque ela não tinha necessidade de mostrar mais do que isso.

Um pensamento legítimo.

Um pensamento completamente desarrazoado.

Ela soltou um suspiro e deixou afinal as roupas sobre a mesinha de centro, ao lado do livro que ele havia largado ali na véspera, sem avançar nada a leitura iniciada dias antes, pegou o volume com alguma curiosidade.

— É bom?

Ele fez uma careta indiferente.

— Até é. Mão não é ficção. E odeio perder tempo com a realidade.

Ela sorriu, segurou a mão dele.

Mas, mesmo com o toque dela, ele se sentia sozinho.

Sozinho com sua ansiedade.

Aquela ansiedade da qual ela não podia salvá-lo.

A ansiedade que o fazia querer cravar os tornozelos no chão para impedir a passagem do tempo.

Era preciso desacelerar.

O primeiro gole de vodca não desceu bem, como não costumavam descer bem os primeiros goles de vodca. Mas o segundo desceu.

Faltavam quarenta minutos para a hora de sair de casa, Sérgio estava pronto, Joyce estava quase pronta.

Ele sentiu a corda se apertar em volta do pescoço quando ela fez um brinde ao sucesso da exposição, mas sabia que, com a bebida, logo a corda se afrouxaria, que logo não haveria mais corda. E, impulsionado pela certeza desse pensamento, respondeu:

— Amém.

Como se fosse um homem religioso.

Ele era ele, porém. (Como fugir disso?) E, não resistindo ao ímpeto de ser ele mesmo, acrescentou:

— Se eu morrer até o fim da noite, os dividendos são seus.

Ela não revirou os olhos. Era como se não tivesse escutado. Embora tivesse.

Tomou um gole demorado da bebida e decretou com convicção:

— Você é forte.

Ele, sendo ele, afirmou:

— Não.

— Você sobreviveu a 100% dos seus piores dias.

— Você é que pensa.

Joyce esvaziou o copo e deixou-o sobre a mesa, vedando-o com os dedos quando ele estendeu a garrafa oferecendo mais. Dirigiu-se ao espelho, perto de onde havia deixado o material de maquiagem, e se pôs a pintar o rosto com movimentos precisos que o arrancaram de seu ensimesmamento.

Como era de costume, ele se pôs a observá-la com algo que avizinhava um encantamento.

Não, com algo que era a definição de encantamento.

Ela passou produtos dos quais ele não sabia o nome, um após o outro, numa sequência automática que revelava prática, depois arrematou com o batom, o último elemento, que fechava a pintura e ressignificava todo o resto, estudou a própria imagem aprovando-a e, com uma displicência que era a displicência da pessoa que não sabe que está sendo observada com encantamento, pegou na bolsa uma barra de cereal, que abriu ainda de frente para o espelho.

— O que aconteceu com a vontade de ser a mulher a quem os garçons mais oferecem canapés? — perguntou ele, servindo outra dose de vodca para si mesmo.

— Você não sabe o poder que vem de recusar. — Ela abriu a embalagem pequenina, deu uma primeira mordida indiferente, seguida de um suspiro. — Abençoada seja minha barrinha corta-fome, que alimenta tão bem minha anorexia.

Com alguma surpresa, ele notou que já sentia o ansiado início do desaceleramento.

Quase respirou aliviado.

Mas queria mais.

Se ousasse, beberia para embotar completamente o pensamento, extinguindo-o.

Mas sabia que isso era impraticável.

Precisava socializar, interagir, mostrar-se sóbrio. Sabia que em algum grau seria o centro das atenções. Sabia o que se esperava dele.

Tinha juízo.

Algum.

Ao sair de casa, sentia a aflição de antes como uma espécie de ideia de incômodo, algo sobre o qual tinha distanciamento, a lembrança de um episódio macabro. Se não conseguiu aproveitar a sensação do vento fresco que entrava pela janela do Uber, pelo menos teve consciência da sensação, o que antes certamente não teria.

No rádio, tocava uma música lenta de sua pré-adolescência, quando ele frequentava festinhas embaladas por Coca-Cola e Cheetos e dançava com a menina mais bonita da turma, por quem era verdadeiramente apaixonado, um amor tranquilo que nunca se concretizava embora ela deixasse claro que queria. O amor, um lugar confortável, arejado, de luz suave e uma assepsia que ele confundia com pureza, um cantinho de brilho pálido onde tudo eram superfícies, apropriado apenas a sentimentos elevados. Ele sofria de uma ânsia inventada, de um desejo que frustrava em todos os sentidos o significado da palavra, uma espécie de nostalgia às avessas que o preenchia e lhe bastava.

Pegou-se cantando a música, assombrado com o fato de se lembrar detalhadamente da letra, assombrado porque não sabia letra de nenhuma música da atualidade que costumava ouvir.

Quando o carro parou em frente à galeria, Sérgio ajustou no rosto um sorriso calmo com o qual desejava mostrar domínio da situação e que, com uma obstinação que não lhe era característica, pretendia manter pelo resto da noite. Não sabia se seria capaz. Temia que a fisionomia forçada fizesse os lábios tremerem.

Mas foi imediatamente tragado pela engrenagem do evento, Bel puxando-o pelo braço com uma animação nova para ele, não porque ela não fosse sempre animada mas porque havia na animação de agora uma camada inédita de vigilância, uma consciência exagerada de si mesma e maior alcance. Queria apresentar a ele algumas pessoas, entregou-lhe uma taça de vinho branco que ele bebeu de um gole aceitando de pronto outra. Embora não gostasse de vinho branco.

A primeira pessoa a quem ela o apresentou era um colecionador que elogiou a "exuberância gráfica do trabalho", a "tensão entre figura e fundo, entre representação e ornamentalismo" e o "tributo ao obscuro". A segunda pessoa era um crítico que elogiou o "surrealismo das figuras distorcidas", a "apropriação conceitual" e a "organização de uma composição caótica". A terceira era uma agente com "excelentes contatos no exterior" que se achava de frente para a última tela que ele havia pintado e elogiou a "anulação da gestualidade" e a "maneira como o fundo inacabado eclipsa o resto".

Ele recebeu elogios, muitos elogios, uma enxurrada de elogios, mas isso não era nada além do esperado. Num vernissage, na estreia de um filme, na estreia de um espetáculo, a crítica negativa é falta de adequação, quebra de protocolo, um equívoco inadmissível. Por isso os elogios eram vazios: não mediam a recepção da obra, não serviam como termômetro de qualidade, não aplacavam as dúvidas dele, muito menos massageavam seu ego. Só não eram dispensáveis porque eram parte do evento, como as próprias telas.

Quando lhe ofereceram a primeira taça de champanhe, ele já sentia que sua percepção das coisas havia se descolado completamente da realidade. Mas aceitou. Tomou champanhe. Tomou mais vinho. Depois tomaria um Engov. Depois não existia.

Se estivesse em condições de autoavaliação, deduziria que no fim das contas não tinha juízo.

Não, não se conhecia.

Ficou surpreso de ver pessoas que jamais teria cogitado convidar se não fosse pela insistência de Bel de que ele usasse as mídias sociais para divulgação, colegas do primeiro curso de pintura que ele havia feito, o próprio professor, tão envelhecido que ele não teria reconhecido se os olhos inteligentes não permanecessem os mesmos, como se o tempo tivesse parado apenas para eles, poupando-os, colegas de faculdade que haviam garantido que compareceriam mas por cujas desculpas ele já esperava depois do evento, o pai doente, uma viagem de última hora, qualquer imprevisto incontestável, desculpas que ele teria inventado se fosse o contrário, se fosse ele o convidado de um evento alheio.

Era estranho rever todas aquelas pessoas de outra vida, de um tempo em que ele próprio era outra pessoa, ou o embrião do indivíduo de agora, o embrião que também poderia ter facilmente resultado em outro indivíduo, ele tinha certeza, a vida cumprindo o trabalho diário de nos recriar, para o bem e para o mal.

No salão iluminado, tocava uma bossa-nova de fácil assimilação que parecia quase caricata aliada às bandejas de prata com homus e guacamole, minibruschettas e sushis de pepino, aquele excesso de pessoas vestidas com roupas que gritavam um passado de garimpo meticuloso em brechós de Londres e Nova York, roupas que de certo modo eram uma fantasia.

Sérgio estava conversando com Joyce e uma amiga deles desse outro tempo, na verdade limitando-se a ouvi-las, quando o viu.

Imediatamente sentiu uma descarga de adrenalina que fez seu corpo esquentar, apesar do estado anestesiado em que se encontrava. Juntou as mãos num gesto involuntário e desejou estar com uma taça, ainda que vazia, apenas pela desculpa de segurá-la.

Joyce e a amiga do outro tempo já haviam passado das preliminares do reencontro, as exclamações de "Você não mudou nada" que, apesar de bem-intencionadas, raramente eram verdade, mas continuavam falando sobre a passagem do tempo, o caminhão que havia atropelado todos.

— Não me sinto nem um pouco velha — dizia a amiga do outro tempo. — Sinto que o mundo envelheceu.

— Talvez envelhecer seja isso — respondeu Joyce.

Sérgio fixou os olhos nele, não porque quisesse, mas porque não conseguia olhar para mais nada. Não o avaliava, porém. Era simples contemplação.

Ele estava sozinho de frente para uma tela, usando, assim como Sérgio, uma camisa azul-clara que poderia tê-lo feito pensar numa conexão transcendental, um dedo de força mágica, uma piscadela do destino para aumentar sua certeza, mas Sérgio não acreditava em conexões transcendentais. Não acreditava em destino. Se Joyce não tivesse lhe dado a camisa azul-clara, ele provavelmente estaria usando branco. Até onde se lembrava nem tinha outra camisa azul-clara. Talvez tivesse.

Catou à força uma coragem fugidia, pegou com o garçom que passava duas taças de vinho e se aproximou dele com propósito. Embora a sala girasse.

— Vinicius — disse, abrindo um sorriso que pretendia seguro, estendendo a taça com um gesto que pretendia firme. — Você veio.

Um comentário tolo, a atestação do óbvio.

— Oi — respondeu Vinicius, espelhando seu sorriso, hesitando antes de aceitar a bebida. — Vim.

A atestação do óbvio, no caso dele perdoada por ser uma resposta. Por ser ele.

Sérgio notou que ele não olhava em seus olhos: havia uma obstinação em fitar o chão. Notou que ele estava nervoso. E gostou disso.

— Fiquei surpreso com o convite — observou Vinicius. — Precisei ler a mensagem algumas vezes.

Sérgio preferia que ele não tocasse nem de longe no assunto de seu sumiço, de seu reaparecimento súbito com aquele convite quase inadequado.

Hoje, não.

Hoje ele não queria sombra de reprimenda, não queria o espelho levantado em sua direção, não queria conversa séria, que dirá uma conversa séria necessária cujo fim poderia ser o instantâneo de um quadro de horror.

Hoje, não.

Mas havia na admissão de que Vinicius tinha lido a mensagem algumas vezes uma ingenuidade que era um alento. E o comentário de que ele havia ficado surpreso com o convite não trazia recriminação, era apenas isso: um comentário.

Fez-se um silêncio incômodo que nenhum dos dois soube preencher, durante o qual Sérgio observou-o passando a mão na correntinha de prata que trazia no pescoço. Indicou a taça dele, ainda intocada.

— O vinho não está ruim.

Vinicius voltou os olhos para a taça.

— Então — respondeu. E havia na reticência desse "então" a introdução a uma notícia indesejada, a reticência a parte rasa de um lago em que Sérgio não queria entrar. — Estou dirigindo. Na verdade — acrescentou Vinicius, multiplicando a parte rasa do lago —, é aniversário da minha irmã, só vim mesmo dar um alô.

Sérgio cravou os olhos na correntinha de prata, na mão que a tocava.

Portanto a presença de Vinicius era uma presença com desculpa de fuga, uma presença até a página dois. Sérgio conhecia desculpas de fuga. Era mestre nelas.

— Ah — disse, sem conseguir esconder a frustração.

E, talvez por causa dessa incapacidade de esconder sua frustração, Vinicius se adiantou:

— E eu queria ver seu trabalho. Queria te ver.

As frases ditas com uma animação genuína que superava qualquer tom de reparação, sem o véu da ambiguidade, meias palavras, entrelinhas.

Do outro lado da sala, Bel erguia a taça num brinde mudo.

Sérgio terminou a própria bebida e pegou a bebida dele. Apesar da lentidão em encadear os vagões pesados do raciocínio, considerou, numa dificílima conta de somar, que em realidade não havia motivo para frustração, que a presença de Vinicius era, com ou sem desculpa de fuga, uma porta entreaberta.

Uma porta que ele precisava chutar.

— Quero te encontrar com mais calma, conversar direito com você.

Instintivamente Vinicius abaixou a mão, largando a corrente de prata acomodada no meio do colarinho aberto da camisa azul-clara.

— Eu adoraria — respondeu com um sorriso. E, como se para confirmar a genuinidade da animação, exterminando uma possível sombra de ambivalência, deu ao tempo apenas o átimo necessário para a noite suspirar antes de acrescentar: — Quando você quiser.

Sérgio o encarou, os olhos urgentes. Sério.

E, como hoje era uma impossibilidade, respondeu:

— Amanhã.